Les Plus Belles Paroles
de la Bible

FIRST
Editions

ISBN : 978-2-7540-1197-6
Dépôt légal : 2e trimestre 2009

Édition : Marie-Anne Jost
Conception graphique : Georges Brevière
Conception couverture : Olivier Frenot

Imprimé en Italie

Éditions First
60, rue Mazarine, 75006 Paris
Tél : 01 45 49 60 00
Fax : 01 45 49 60 01
e-mail : firstinfo@efirst.com
www.editionsfirst.fr

SOMMAIRE

AVANT-PROPOS

La Bible est un monument littéraire unique en son genre. Elle est plus qu'un livre puisqu'elle est une bibliothèque à elle toute seule, avec près de soixante-dix livres différents, rédigés sur un espace-temps de plus de mille cinq cents ans, par une quarantaine d'auteurs qui, pour la plupart, n'avaient pas conscience d'écrire pour être lus au XXIe siècle.

De plus, ces auteurs sont issus de diverses classes sociales : certains étaient rois, d'autres bergers, collecteurs d'impôts, prêtres, prophètes ou simples cultivateurs. C'est dire que les styles d'écriture, dans la Bible, sont fort nombreux.

On trouve dans la Bible des récits historiques, des poèmes et des cantiques, des discours, des biographies, des prophéties et des lettres… Au cœur de ces nombreux textes, on découvre des perles.

Un nombre impressionnant de dictons ou de sentences, de proverbes ou d'adages entrés dans nos expressions quotidiennes sont inspirés par la

Bible quand ce ne sont pas textuellement des citations bibliques.

On pourrait citer des exemples comme : « À chaque jour suffit sa peine ; le lendemain prendra soin de lui-même ! » ; « Y tenir comme à la prunelle de ses yeux » ; « Qui va à la chasse perd sa place » ; « Telle mère, telle fille »…

De nombreuses formules peuvent devenir des mots d'ordre, des consignes, voire des conseils dans des domaines aussi différents que ceux touchant à l'éducation des enfants, aux rapports entre époux, entre employeurs et employés, ainsi que dans la façon de gérer l'argent, de gouverner une cité, de construire une société ou simplement élever un bâtiment.

Une écriture originale

La Bible est écrite principalement en hébreu pour ce qui est de l'Ancien Testament et en grec pour le Nouveau. Dans l'original, la poésie ou les jeux de mots sont fréquents, mais la traduction ne permet pas toujours de restituer certaines pointes ou saveurs, et il est difficile de retrouver l'intention des auteurs, même en faisant de gros efforts. Car la culture biblique, sans parler des époques, n'est pas la nôtre et il faut se faire une raison. Ainsi, la poésie hébraïque n'est pas du tout construite comme la poésie française. Cette dernière joue surtout sur les rimes et le nombre de pieds de chaque vers tandis que les Hébreux jonglent plutôt sur le rythme d'une phrase, sur la répétition des idées et sur les débuts de vers avec une prédilection pour les acrostiches et les strophes dites alphabétiques.

Les strophes alphabétiques consistent à avoir une série de couplets dont chaque vers commence par la même lettre de l'alphabet en suivant justement son ordre. Ainsi trouve-t-on une première strophe dont tous les vers commencent par A, puis la suivante avec des vers qui débutent par la lettre B, puis par C et ainsi de suite. Naturellement, ce type de construction littéraire est quasi impossible à reproduire dans une autre langue que l'originale.

Une collection unique

La sagesse est un thème central de la Bible, celle qu'il faut acquérir, celle qui fait vivre, mais aussi celle qui vient de plus haut que l'homme. Car la Bible fait une différence entre la sagesse d'en haut (divine) et la sagesse d'en bas (humaine). Ainsi Jacques, l'un des auteurs du Nouveau Testament et auteur d'une fort belle lettre, précise :

« La sagesse d'en haut produit d'abord un cœur pur, puis elle accorde paix et douceur. Elle cherche à unir les hommes ; elle est riche en bonté et elle génère des actions généreuses. Elle ne fait pas de différence entre les personnes et elle n'est pas hypocrite. » Face à une telle sagesse, Jacques précise que celui qui en manque devrait pouvoir la demander, simplement. Mais à qui ? Un autre texte biblique dira que « le respect de Dieu est le commencement de la sagesse ».

Et quand bien même l'homme penserait pouvoir toucher la sagesse, la Bible encourage l'observation du monde créé et signale que c'est dans cette observation que les plus belles leçons s'acquièrent aussi :

« Il y a quatre animaux qui sont parmi les plus petits de la terre et cependant des plus sages :

Les fourmis, peuple sans force, préparent en été leur nourriture ;

Les damans, peuple sans puissance, placent leur demeure dans les rochers ;

Les sauterelles n'ont pas de roi mais sortent toutes en divisions ordonnancées ;

Le lézard que tu peux prendre en main, et qui peut vivre dans les palais des rois. »

Proverbes, 30. 24-28

Tous azimuts

Tous les principes de vie sont abordés dans la Bible et il n'est pas nécessaire d'avoir une lecture religieuse de ce livre pour en saisir l'importance et la pertinence lorsqu'elle conseille, encourage, analyse, observe et pointe ce qui peut alimenter une meilleure conduite et un comportement social positif. Certains hésiteront à parler des vertus, de l'éthique, voire de la morale, mais si la Bible n'est pas un livre moralisateur, il est empreint de conseils dont les objectifs sont de donner sens à l'existence et lumière sur le quotidien.

Voilà pourquoi les plus belles pages de la Bible sont aussi celles qui sont offertes à l'humanité tout entière.

Cependant, il ne faut pas oublier que la Bible est aussi chargée d'un message fort, spirituel, pour ne pas dire divin. On ne peut donc la citer sans faire écho au souffle qui la traverse. Dieu en est la vedette, l'inspirateur, le modèle, le guide et l'exemple à suivre. Certaines citations seront donc empreintes de sa présence, et dans un monde matériel qui est cependant assoiffé de spiritualité tant il est orphelin de sacré, des appels élevés vers l'Essentiel, pourront trouver des échos imprévus.

Sans complaisance

La Bible montre les choses belles du monde, mais dénonce aussi les choses laides, et dans ce domaine, l'homme n'est pas épargné ! Les grands et beaux élans dont il est capable n'effacent pas, aux yeux des auteurs bibliques, les actions et même les pensées plus obscures de chaque individu. Parfois avec sévérité, parfois avec humour, le caractère des hommes est épinglé, sans complaisance. Ce miroir implacable, grinçant ou amusant, est là pour encourager une lucidité nécessaire et une correction toujours possible.

Ainsi, le verset biblique qui pourrait devenir une clé de lecture pour l'ensemble de la Bible se trouve dans le livre de Josué : « Mémorise avec persévérance les enseignements du livre de la Loi et médite-les jour et nuit de façon à pratiquer tout ce qui y est écrit. Alors tes projets se réussiront. »

Méthode

Les citations bibliques qui suivent sont transcrites par l'auteur de ce livre, à partir des meilleures et des plus récentes traductions, avec le souci d'adapter ces textes anciens à notre temps, sans trahir l'idée-force des originaux.

Le classement des citations est arbitraire, mais les thèmes proposés permettent de cerner les principaux enseignements de la Bible.

Chaque citation est suivie de sa référence. Une référence biblique commence par le numéro et le nom du livre duquel est extraite la citation, puis du numéro du chapitre, et enfin du verset. Par exemple : Jean, 3. 16 signifie que le texte cité est extrait de l'Évangile de Jean, chapitre 3 et verset 16.

AMOUR ET AMITIÉ

De faux amis mènent au malheur. Un ami véritable est plus loyal qu'un frère.

Proverbes, 18. 24

L'homme perfide provoque des disputes, et celui qui calomnie détruit l'amitié.

Proverbes, 16. 28

Celui qui flatte ses amis dépose un piège sur son propre chemin.

Proverbes, 29. 5

L'ami aime en tout temps,
Et dans le malheur il se manifeste un frère.

Proverbes, 17. 17

Une réponse donnée avec franchise est une vraie preuve d'amitié.

Proverbes, 24. 26

Supposons que je parle les langues de tous les hommes et même celles des anges : si je n'ai pas d'amour, je ne suis rien de plus qu'un carillon qui résonne ou qu'une cymbale bruyante.

Je pourrais transmettre des messages divins, posséder toute la connaissance et comprendre tous les mystères, je pourrais avoir la foi capable de déplacer des montagnes, si je n'ai pas d'amour, je ne suis rien.

Je pourrais distribuer tous mes biens aux démunis et même sacrifier mon corps aux flammes, si je n'ai pas d'amour, cela ne me sert à rien.

Celui qui aime est patient et bon, il n'est pas envieux, ne se vante pas et n'est pas prétentieux.

Celui qui aime ne fait rien de honteux, n'est pas égoïste, ne s'irrite pas et n'est pas rancunier.

Celui qui aime ne se réjouit pas du mal mais se félicite de la vérité.

L'amour supporte tout et conserve en toute circonstance la foi, l'espérance et la patience.

L'amour est éternel.

Maintenant, trois choses demeurent : la foi, l'espérance et l'amour ; mais la plus grande des trois, c'est l'amour.

1 Corinthiens, 13. 1-13

Les produits de beauté et les parfums mettent le cœur en fête ; la douceur de l'amitié est une essence précieuse.

Proverbes, 27. 9

Mes petits enfants, n'aimons pas en paroles et avec de beaux discours, mais en actes et dans la vérité.

1 Jean, 3. 18

L'amour est fort comme la mort.
La passion peut être aussi cruelle que le monde des morts. On ne peut rien contre elle.
Elle brûle comme un feu, elle frappe comme la foudre. Toute l'eau des mers ne peut éteindre l'amour, et même l'eau de tous les fleuves est incapable de le noyer.
Celui qui donnerait toutes ses richesses pour acheter l'amour serait repoussé avec mépris.

Cantique des cantiques, 8. 6-7

Oublier un tort consolide l'amitié, mais en reparler sans cesse la rend fragile.

Proverbes, 17. 9

Si tu mens à ton ami, tu n'es plus pour lui qu'une massue, une épée meurtrière.

Proverbes, 25. 18

Les blessures d'un ami sont dignes de confiance et preuve de loyauté. Les baisers d'un ennemi sont trompeurs et trahison.

Proverbes, 27. 6

Là où tu iras, j'irai ; là où tu t'installeras, je veux m'installer.
Ton peuple sera mon peuple ; ton Dieu sera mon Dieu.
Là où tu mourras, j'accepte de mourir et c'est là que je serai enterrée.
Que Dieu me frappe de la plus terrible des punitions si ce n'est pas la mort seule qui me sépare de toi !

Ruth, 1. 16-17

Il n'y a pas de crainte dans l'amour ; la crainte suppose la menace ou implique le châtiment. Le parfait amour refuse la crainte.

1 Jean, 4. 18

(Lui)

– Comme un lis au milieu des épines,
Telle est ma tendre amie au sein des jeunes filles.

(Elle)

– Comme un pommier au milieu des arbres de la
forêt,
Tel est mon bien-aimé parmi les jeunes hommes.
À son ombre, j'ai désiré m'asseoir,
Et goûter à son fruit, si doux à mon palais.
Il m'a introduite dans le cellier pour m'enivrer de
son souffle ;
Et la bannière qu'il déploie sur moi, c'est l'amour.
Mes amies, soutenez-moi avec des gâteaux de
raisins,
Rafraîchissez-moi avec des pommes ;
Car je suis malade d'amour.
Mon bien-aimé place son bras gauche sous ma
tête,
Et de son bras droit, il m'étreint !
– Je vous en conjure, filles de Jérusalem,
Par les gazelles, par les biches des champs,
N'éveillez pas, ne réveillez pas l'amour,
Avant l'heure de son bon plaisir !
J'entends la voix de mon bien-aimé !
Le voici, il vient,

Sautant sur les montagnes,
Bondissant sur les collines.
Mon bien-aimé est semblable à la gazelle.
Le voici, il se tient derrière notre mur,
Il m'observe par la fenêtre,
Son œil pétille.
Il prend la parole, mon bien-aimé.
Il me déclare :
« Lève-toi, ma compagne, ma belle, et viens !
Car voilà l'hiver est passé ;
La pluie s'en est allée.
Dans le pays, les fleurs paraissent,
Le temps de chanter est venu ;
La tourterelle roucoule pour nous dans la campagne.
Le figuier forme ses premiers fruits,
Et les vignes en fleur exhalent leur parfum.
Lève-toi, ma compagne, ma belle, et viens !
Ma colombe, viens dans le creux des rochers,
Dans le secret des escarpements, viens !
Fais-moi voir ton visage,
Fais-moi entendre ta voix ;
Car ta voix est douce et ton visage est charmant. »
Mon bien-aimé est à moi, et voici, je suis à lui.

Cantique des cantiques, 2. 1-16

(Lui)

– Que tu es belle, ma douce amie, que tu es belle !
Tes yeux sont des colombes cachées derrière ton
voile.
Ta chevelure ondulante comme un troupeau de
chèvres,
Dévalant la montagne de Galaad.
Tes dents sont comme un troupeau de brebis
Qui remontent de l'abreuvoir ;
Tes lèvres sont comme un cordon écarlate,
Et tes paroles charmantes me troublent ;
Tes joues écarlates me font penser à la grenade
mûre
Derrière ton voile.
À ton cou dressé comme la tour de David,
Bâtie pour être un arsenal,
Sont suspendus mille boucliers, parures étince-
lantes de héros.
Tes deux seins sont comme les jumeaux d'une
gazelle,
Qui paissent parmi les lis.
Avant que souffle la brise du jour,
Et que les ombres du soir s'enfuient,
J'irai vers toi, à la montagne de la myrrhe
Et à la colline de l'encens.

Tu es belle, trop belle, mon amie,
Tu es parfaite et adorable.
Tu emplis de joie mon cœur, ma sœur, ma fiancée,
Tu le fais bondir par un seul de tes regards,
Par le moindre éclat de tes colliers.
Quelle suavité dans ta tendresse, mon amie, ma
fiancée !
Combien ta douceur vaut mieux que le vin,
Et la senteur de tes parfums plus entêtants que
les aromates !
Tes lèvres distillent le miel, ma fiancée ;
Il y a sous ta langue du miel et du lait,
Et l'odeur de tes vêtements est comme celle du
Liban.
Tu es mon jardin clos, ma sœur, ma fiancée,
Une fontaine close, une source scellée.
C'est une source des jardins,
C'est un puits d'eaux vives,
Ce sont des ruissellements du Liban.

(Elle)
– Que mon bien-aimé entre dans ce jardin,
Et qu'il mange de ses fruits exquis !

Cantique des cantiques, 4. 1-16

ARGENT ET RICHESSES

Ne te fatigue pas à courir après la richesse : cesse même de te focaliser sur cette pensée. L'argent disparaît avant même qu'on ait eu le temps de le voir : à croire qu'il se fabrique des ailes pour s'élancer au loin, tel l'aigle tout là-haut.

Proverbes, 23. 4-5

Certains font semblant d'être riches alors qu'ils n'ont rien. D'autres font les pauvres et possèdent une fortune. Prends garde !

Proverbes, 13. 7

Mieux vaut être de condition modeste avec un seul serviteur que de jouer les princes, se donner de grands airs et manquer de pain.

Proverbes, 12. 9

Le riche, à cause de ses biens, estime qu'il se conduit avec sagesse, mais un homme modeste peut le confondre par son intelligence.

Proverbes, 28. 11

Celui qui se moque des pauvres outrage celui qui les a faits. Celui qui rit du malheur d'autrui ne restera pas impuni.

Proverbes, 17. 5

Un riche peut se faire sans cesse de nouveaux amis, l'homme pauvre risque plutôt de perdre le seul qu'il ait. Beaucoup flattent l'homme généreux, tout le monde est ami de celui qui donne. Par contre, le pauvre est détesté même par ses propres frères, à plus forte raison ses amis l'abandonnent-ils. Lorsqu'il voudrait leur parler, ils ont disparu.

Proverbes, 19. 4-7

L'espérance du méchant disparaît à sa mort, l'espoir qu'il plaçait dans les richesses se dissout.

Proverbes, 11. 7

Une belle réputation vaut mieux que toutes les richesses : l'estime des autres est bien supérieure à l'or et à l'argent.

Proverbes, 22. 1

Certains donnent généreusement et accroissent pourtant leur fortune. D'autres épargnent et thésaurisent plus qu'il n'est nécessaire ; finalement, ils s'appauvrissent. Comme celui qui offre un verre d'eau sera désaltéré, une personne généreuse sera toujours comblée de biens en retour.

Le peuple déteste et maudit ceux qui stockent leur blé, mais il est reconnaissant à l'égard de ceux qui le mettent à disposition.

Celui qui se confie en ses richesses dépérit, tandis que les hommes justes prospèrent comme le feuillage verdoyant d'un arbre abreuvé.

Proverbes, 11. 24-28

Donner aux pauvres c'est comme prêter à Dieu, lequel prendra en compte cette générosité.

Proverbes, 19. 17

L'homme qui ouvre son cœur envers les pauvres ne manquera jamais de rien, mais celui qui ferme les yeux sur leur misère sera haï par beaucoup.

Proverbes, 28. 27

Des nuages et du vent qui n'amènent pas de pluie,
voilà l'homme qui promet royalement de faire des
cadeaux et se garde bien de les offrir.

Proverbes, 25. 14

Celui qui, trop rapidement, amasse une fortune,
n'a pas lieu de s'en féliciter.

Proverbes, 20. 21

Le riche a les pauvres à sa merci. Ceux qui empruntent deviennent esclaves de leurs créanciers.

Proverbes, 22. 7

L'or est testé et l'argent éprouvé par le feu, l'homme
est jugé d'après sa réputation.

Proverbes, 27. 21

DESTINÉE HUMAINE

Ne te vante pas de ce que sera demain, car tu ignores même ce qui se produira tout à l'heure.

Proverbes, 27. 1

Qui peut prétendre avoir la conscience tranquille et être pur de toute faute ?

Proverbes, 20. 9

Avant d'accéder aux honneurs, il faut savoir d'être humble.

Proverbes, 15. 33

Le fer aiguise le fer, le contact avec autrui affine l'esprit de l'homme.

Proverbes, 27. 17

Mieux vaut un maigre salaire gagné honnêtement que de gros revenus tirés d'affaires louches.

Proverbes, 16. 8

L'espérance des justes leur procure la joie, celle des méchants n'aboutit qu'au néant.

Proverbes, 10. 28

Les insolents comme les moqueurs s'exposent à être punis et les sots s'exposent à recevoir des coups.

Proverbes, 19. 29

Heureux l'homme qui trouve la sagesse et qui acquiert la raison.
Les profits de l'argent, la richesse de l'or, n'offrent pas plus d'avantages.
La sagesse est précieuse autant que des perles. On ne peut désirer mieux.
Elle donne à l'homme de vivre longtemps ; elle lui procure prospérité et honneur.
Ses chemins sont agréables et pleins de sérénité. C'est un arbre de vie pour qui la pratique, et qui s'y attache touche au bonheur.

Proverbes, 3. 13-18

Ne refuse jamais un bienfait à qui y a droit quand il est en ton pouvoir de le produire.

Proverbes, 3. 27

Garde ton cœur plus que toute autre chose ;
C'est de lui que jaillissent les sources de la vie.

Proverbes, 4. 23

Mieux vaut acquérir la sagesse que de l'or, l'intelligence que de l'argent.

Proverbes, 16. 16

L'orgueil de l'homme le conduit à la faillite. Avant d'accéder aux honneurs, il faut apprendre l'humilité.

Proverbes, 18. 12

Qui répond avant d'avoir écouté montre sa bêtise et se couvre de ridicule.

Proverbes, 18. 13

Le premier à plaider une cause semble toujours avoir raison jusqu'au moment où son adversaire le contredit.

Proverbes, 18. 17

Le bon sens procure du charme. Les gens déloyaux empruntent une voie sans issue.

Proverbes, 13. 15

Un homme avisé réfléchit avant d'agir, mais le sot fait étalage de sa bêtise.

Proverbes, 13. 16

Les pauvres tirent une nourriture abondante de leurs champs, mais certains dépérissent par manque d'intégrité.

Proverbes, 13. 23

Les cheveux blancs sont une parure qui couronne celui qui a marché dans les traces de la justice.

Proverbes, 16. 31

Il vaut mieux manger en paix un croûton de pain, même sec, plutôt que participer à un abondant banquet dans une maison où l'on se dispute.

Proverbes, 17. 1

L'homme ignorant croit tout ce qu'on lui dit, l'homme prudent regarde où il met les pieds.

Proverbes, 14. 15

La part des idiots c'est la bêtise, l'honneur des gens avisés c'est le savoir.

Proverbes, 14. 18

La paix de l'esprit favorise une bonne santé, mais la passion est un cancer qui ronge les os.

Proverbes, 14. 30

Celui qui réfléchit possède la sagesse, mais peut-on la trouver parmi les sots ?

Proverbes, 14. 33

Si un sage est en procès avec un sot, qu'il choisisse de se fâcher ou d'en rire, il ne s'en sortira jamais indemne !

Proverbes, 29. 9

L'orgueil engendre l'humiliation. Pour accéder aux honneurs, il faut avoir l'esprit humble.

Proverbes, 29. 23

Une attitude tortueuse comporte tant d'épines et de pièges qu'il faut s'en écarter si l'on tient à la vie.

Proverbes, 22. 5

L'homme intelligent ne perd jamais de vue ce qui est sage, mais les regards du sot se portent vers ce qui demeure inaccessible.

Proverbes, 17. 24

L'homme avide d'argent conduit sa famille à la ruine. Celui qui ne se laisse pas acheter peut jouir d'une longue vie.

Proverbes, 15. 27

Le chien retourne à ce qu'il a vomi et le sot recommence ses bêtises.

Proverbes, 26. 11

L'espoir qui tarde à se réaliser attriste le cœur, le désir comblé est comme un arbre plein de vie.

Proverbes, 13. 12

La volonté de vivre soutient l'homme malade, mais qui peut rétablir une volonté défaillante ?

Proverbes, 18. 14

Le vaurien est un homme dangereux et injuste ;
Il marche la fausseté dans la bouche ;
Il cligne des yeux, parle du pied,
Fait des signes avec les doigts ;
La perversité est dans son cœur,
Il médite le mal en tout temps,

Il déchaîne des querelles.
Méfie-t'en !

Proverbes, 6. 12-14

Celui qui cultive son champ a du pain en abondance, mais celui qui cultive des illusions manque de bon sens.

Proverbes, 12. 11

L'âme du paresseux a des désirs qui n'aboutissent jamais ;
Mais l'âme des hommes actifs fleurit dans l'abondance.

Proverbes, 13. 4

Comme le moineau et l'hirondelle volent sans se poser, une malédiction non méritée n'atteint personne.

Proverbes, 26. 2

Mieux vaut être pauvre et se conduire avec intégrité qu'être riche et avoir un comportement malsain.

Proverbes, 28. 6

Rien ne réussit à celui qui cache ses fautes, mais celui qui les avoue et y renonce profite du pardon.

Proverbes, 28. 13

Il est une engeance qui maudit son père
Et qui ne bénit pas sa mère.
Il est une engeance qui se croit pure
Et qui n'est pas lavée de son ordure.
Il est une engeance dont les yeux sont hautains
Et les paupières élevées.
Il est une engeance dont les dents sont des épées
Et les mâchoires des couteaux,
Pour dévorer et faire disparaître de la terre les malheureux
Et de l'humanité les pauvres.
La sangsue a deux filles : Donne ! Donne !
Trois choses sont insatiables,
Quatre ne disent jamais : Assez !
Le séjour des morts, la femme stérile,
La terre, qui n'est pas rassasiée d'eau,
Et le feu, qui ne dit jamais : Assez !
Il y a trois choses qui sont au-dessus de ma portée,
Même quatre que je ne connais pas :
La trace de l'aigle dans les cieux,
La trace du serpent sur le rocher,

La trace du navire au milieu de la mer,
Et la trace de l'homme chez la jeune fille.

Proverbes, 30. 11-19

Qui creuse une fosse tombera dedans et la pierre
reviendra sur celui qui la roule.

Proverbes, 27. 27

Les sages amassent un trésor d'expérience, mais
les paroles des imbéciles entraînent une ruine
rapide. Le travail d'un homme honnête lui permet
de vivre. Le gain d'un homme malhonnête est voué
à l'échec.

Proverbes, 10. 14 et 16

La richesse trop vite acquise disparaît vite. Celle
qu'on amasse petit à petit ne cesse de grandir.

Proverbes, 13. 11

Seigneur, merci d'avoir fait de mon corps une
chose aussi merveilleuse.
Ce que tu réalises est tout simplement prodigieux ;
j'en ai bien conscience.
Quand tu me dessinais en cachette et que tu me
sculptais dans le ventre de ma mère, mon corps

n'avait déjà plus de secret pour toi.

Quand j'y étais encore informe, tu me voyais ; dans ton livre, tu avais déjà inscrit toutes les journées que tu envisageais pour moi ; pourtant, aucune n'avait encore été esquissée.

Comment pourrais-je discerner et saisir ta pensée ! Il y a tant de choses à prendre en compte !

Comment pourrais-je les envisager ?

Il y en a plus que des grains de sable dans le désert. Même si j'arrivais au bout de mon estimation et à la fin de ma réflexion, je n'aurais pas fini de te comprendre.

Psaumes, 139. 14-18

Celui qui s'est enrichi en violant les lois et les règles est semblable à une poule qui a couvé un œuf de cane ! Au milieu de son existence, tous ses biens l'abandonnent et à la fin de sa vie, il se retrouve tel un nigaud !

Jérémie, 17. 11

Il demeure toujours un espoir pour un arbre :
Si on le coupe, il peut repousser,
Et il produira de nouveaux bourgeons.

Quand bien même ses racines sont anciennes sous terre,

Quand bien même la souche semble desséchée dans le sol,

Le bruit de l'eau suffit pour qu'il recouvre espoir et vie ;

Il lance alors ses rameaux comme au temps de sa jeunesse.

Quand l'homme s'éteint, par contre,

Il est privé de vie et peut-être d'espoir.

Que devient-il, une fois qu'il a poussé son dernier souffle ?

Job, 14. 7-10

Le Seigneur Éternel est mon berger :

Je ne manquerai jamais de rien.

Il me fait reposer dans de verts pâturages,

Il me dirige près des eaux calmes.

Il renouvelle mon âme,

Il me conduit dans les sentiers justes,

Par son nom.

Si je marche dans la vallée ténébreuse de la mort,

Je ne crains rien puisque tu es avec moi :

Ta houlette et ton bâton me rassurent.

Tu dresses devant moi une table,

En face de mes adversaires ;
Tu couvres d'huile ma tête et ma coupe déborde.
Oui, le bonheur et la grâce m'accompagneront
toujours.
Et je me plairai dans la maison de l'Éternel
Toute ma vie.

Psaumes, 23

ÉDUCATION ET LEÇONS DE VIE

Si quelqu'un maudit son père ou sa mère, il verra sa vie s'éteindre telle une bougie qui meurt dans la nuit.

Proverbes, 20. 20

Mon fils, écoute les avertissements et les mesures de discipline énoncés par ton père,
Ne rejette ni les conseils ni l'instruction de ta mère.
Ils seront comme un diadème sur ta tête,
Un collier autour de ton cou.

Proverbes, 1. 8-9

Mon fils, que le discernement, la prudence et la réflexion te guident ; ne t'en éloigne jamais.
Ils te feront vivre d'une vie vraie et belle.
Tu avanceras avec assurance, aucun obstacle ne te fera tomber.
Le soir, tu te coucheras sans peur ; la nuit, ton sommeil sera paisible.

Proverbes, 3. 21-24

Commencement de la sagesse : acquiers la sagesse ;
Et par elle, acquiers ensuite l'intelligence !
Étreins-la et elle t'élèvera ; embrasse-la et elle fera
ta gloire.

Proverbes, 4. 7-8

Saisis l'instruction, ne la lâche pas ;
Retiens-la, car elle est ta vie.
Passe outre le sentier des méchants
Évite le chemin des hommes mauvais.

Proverbes, 4. 13-14

Apprends à être véridique, sage, discipliné et
intelligent, et ne gaspille pas ces qualités.
Le plus grand bonheur d'un père est d'avoir
donné la vie à un homme qui se révélera juste et
sage. Procure cette joie à ton père, ce bonheur à
celle qui t'a mis au monde.

Proverbes, 23. 23

Mon fils, si ton cœur s'attache à la sagesse, j'en
éprouverai une grande joie.
Je serai profondément heureux si tu parles avec
justesse et droiture.

Proverbes, 23. 15-16

Apprendre à réfléchir, c'est agir pour son propre bien ; s'appliquer à comprendre conduit au bonheur.

Proverbes, 19. 8

L'enseignement du sage est source de vie ; il préserve des erreurs qui entraînent la mort.

Proverbes, 13. 14

Celui qui refuse d'être éduqué sera pauvre et méprisé, mais celui qui tient compte des critiques sera toujours honoré.

Proverbes, 13. 18

Qui refuse de frapper son fils ne l'aime pas. Celui qui l'aime n'hésite pas à le punir.

Proverbes, 13. 24

N'hésite pas à punir ton enfant. Quelques bonnes corrections ne le tueront pas. En le frappant, tu peux au contraire le préserver d'un monde qui le tuerait.

Proverbes, 23. 13-14

Celui qui est trop indulgent à l'égard d'un serviteur dès son jeune âge finira par le rendre indocile.

Proverbes, 29. 21

Les enfants aiment ce qui est déraisonnable. Quelques bonnes corrections les guériront de cette tendance.

Proverbes, 22. 15

Donne de bonnes habitudes à l'enfant dès le printemps de sa vie : il les conservera jusque dans sa vieillesse.

Proverbes, 22. 6

Mon fils, si tu cesses d'écouter les avertissements, tu tournes le dos aux leçons de l'expérience.

Proverbes, 19. 27

Il faut une punition à l'insolent pour qu'elle devienne une leçon de sagesse, tandis que le sage acquiert de l'expérience par l'enseignement qu'il reçoit.

Proverbes, 21. 11

Celui qui dépouille son père et vole sa mère en pensant ne pas mal agir est pire que le pire des brigands.

Proverbes, 28. 24

Un reproche a plus d'effet sur l'homme intelligent que cent coups de bâton sur le sot.

Proverbes, 17. 10

L'or n'est pas vraiment rare et les perles abondent. Par contre, des paroles instructives sont précieuses ; un véritable trésor.

Proverbes, 20. 15

Qui est celui qui s'écrit « Malheur à moi ! Hélas ! »
Qui se dispute et se querelle sans cesse ?
Qui se lamente et se plaint sans arrêt ?
Qui reçoit des coups à tort et à travers ?
Qui a la vue trouble ?
C'est celui qui s'attarde à boire du vin et qui essaie sans cesse de nouveaux mélanges enivrants.
Ne sois pas tenté par la belle couleur du vin qui pétille dans la coupe. Il coule agréablement, droit dans le gosier, mais finalement il pique comme la

morsure d'un serpent ; il brûle comme le poison
d'une vipère.

Tes yeux auront d'étranges visions, ton esprit sera
confus et tes paroles iront de travers.

Tu auras l'impression d'être en pleine mer, balancé
au sommet du mât d'un navire fou.

Tu te diras : « On m'a frappé, mais je n'ai pas mal !
Je suis blessé, mais je n'ai rien senti venir ! Pourvu
que je me réveille bientôt ! J'ai soif ! Encore ! »

Proverbes, 23. 29-35

La Sagesse, d'où vient-elle ? Où peut-on trouver
l'Intelligence ?

Elle se dérobe aux yeux de tout vivant, elle se cache
aux oiseaux du ciel.

Dieu seul en a discerné le chemin et sait où elle se
trouve.

En effet, lui seul voit jusqu'aux extrémités de la terre,
Il discerne tout ce qui est sous les cieux.

Lorsque le Créateur a donné du poids au vent,
Lorsqu'il a calibré les eaux,

Quand il a imposé ses règles à la pluie,

Quand il a dessiné une route aux roulements du
tonnerre,

C'est là qu'il la vit et qu'il l'évalua, il la pénétra et même la scruta.

Puis il déclare à l'homme : « Le respect à l'égard du Seigneur, voilà la Sagesse ;

Se détourner du mal, voilà l'Intelligence. »

Job, 20. 20-28

La Sagesse, où peut-on bien la trouver ?

Et l'Intelligence, où réside-t-elle ?

Les hommes ne peuvent estimer son prix,

D'autant qu'elle est introuvable dans ses territoires.

Le plus vaste des océans déclare : « Elle n'est pas ici ! »

Et la mer, en écho, répond : « Elle n'est pas ici non plus ! »

On ne peut troquer la Sagesse contre un lingot d'or fin,

On ne peut l'acquérir contre un impressionnant tas d'argent.

Ni le plus précieux cristal, ni l'or n'atteignent sa valeur,

On ne peut l'échanger contre un vase d'or.

La Sagesse vaut plus que les plus belles perles de nacre !

La topaze n'atteint pas sa valeur.

Face à l'émeraude la plus pure, elle est incompa-
rable.
Alors ? La Sagesse, d'où peut-elle provenir ?
Où donc est la maison de l'Intelligence ?
Elle demeure cachée aux yeux des vivants,
Invisible à l'oiseau qui plane dans le ciel.
La Mort et le Royaume de la mort reconnaissent :
« Assurément, nous avons entendu parler d'elle. »
Mais Dieu sait, lui, d'où elle vient ;
Il connaît le lieu où elle se réfugie.
Il l'a vue lorsqu'il promenait son regard jusqu'aux
extrémités du monde,
Alors qu'il inspectait tout ce qui est sous le ciel.
Quand il accordait du poids au vent,
Quand il calibrait la masse des eaux,
Quand il délimitait la pluie,
Quand il traçait le chemin des orages,
Il vit enfin la Sagesse et l'éprouva ;
Il l'analysa et testa sa valeur.
Puis il déclara aux hommes :
« Si vous voulez toucher à la Sagesse,
Respectez le Seigneur !
Si vous voulez acquérir l'Intelligence,
Écartez-vous du mal. »

Job, 28. 12-28

Enfants, obéissez à vos parents, car cela est juste. Souvenez-vous : « Honore ton père et ta mère – c'est le premier commandement accompagné d'une promesse – afin que tu sois heureux et que tu vives longtemps sur la terre. »

Et vous, parents, n'irritez pas vos enfants, mais élevez les en les corrigeant et en les avertissant avec bienveillance.

Éphésiens, 6. 1-4

Des fils, voilà les vrais biens pour une famille,
C'est un bienfait offert par le Seigneur !
Les fils qu'un homme a dans sa jeunesse
Sont comme des flèches dans la main d'un guerrier.
Heureux celui qui en a plein son carquois !

Psaumes, 127. 3-4

FAIBLESSES HUMAINES

Les calomnies sont des friandises succulentes et elles s'insinuent jusqu'au fond de soi-même.

Proverbes, 18. 8

Un proche offensé est plus redoutable à aborder qu'une forteresse. Les disputes sont aussi tenaces et solides que les verrous d'un château.

Proverbes, 18. 19

Celui qui néglige son travail et celui qui le gâche sont de tristes parents.

Proverbes, 18. 9

Le malheur s'acharnera toujours sur celui qui agit mal, alors que le bonheur finira par récompenser les gens honnêtes.

Proverbes, 13. 21

Celui qui ferme les yeux et serre les lèvres pour préparer un mauvais coup en est déjà coupable.

Proverbes, 16. 30

Celui qui se met facilement en colère commet bien des erreurs et celui qui s'indigne sans retenue fomente la haine.

Proverbes, 14. 17

Tout travail produit un salaire, mais le bavardage ne conduit qu'à la pauvreté.

Proverbes, 14. 23

Un témoin digne de foi sauve des vies, mais celui qui débite des mensonges et des incohérences fait tomber dans l'erreur.

Proverbes, 14. 25

Si tu croises quelqu'un qui parle sans réfléchir, méfie-toi et sache qu'il y a plus à espérer d'un nigaud que de lui.

Proverbes, 29. 20

Quand il se tait, même l'imbécile passe pour un sage. Lorsque ses lèvres sont scellées, on peut le croire brillant.

Proverbes, 17. 28

Le paresseux tourne et tourne encore dans son lit comme une porte sur ses gonds. S'il plonge sa main dans le plat, il trouve trop fatigant de la ramener jusqu'à sa bouche.

Proverbes, 26. 14-15

Les jambes d'un paralysé se dérobent sous lui ; un proverbe dans la bouche des sots n'a pas plus de force.

Proverbes, 26. 7

Un jour, je suis passé près du champ et de la vigne d'un homme paresseux et à la tête vide.
Des ronces et des mauvaises herbes poussaient partout, le mur de clôture était écroulé.
J'ai réfléchi à ce que j'avais vu et j'en ai tiré la leçon : tu dors un peu, tu t'assoupis un petit moment, tu restes étendu en te croisant les bras. Pendant ce temps, la pauvreté arrive sur toi comme un rôdeur, la misère te surprend comme un pillard.

Proverbes, 24. 30-34

Le charbon entretient les braises, le bois entretient le feu et l'homme querelleur attise les disputes ; il s'en nourrit.

Proverbes, 26. 21

Un homme hautain, condescendant et orgueilleux est également insolent ; tout son comportement est expression d'orgueil.

Proverbes, 21. 24

Le paresseux dépérit de ne pas pouvoir réaliser ses désirs, mais ce sont ses mains qui refusent d'y travailler.

Proverbes, 21. 25

Si tu es pétri d'orgueil,
Et si tu as de mauvaises intentions,
Mets un frein à ta bouche :
En effet, si la pression du lait produit de la crème,
Si la pression du nez provoque des saignements,
La pression de la colère produit des querelles.

Proverbes, 30. 32-33

Pensez au mors que nous mettons dans la bouche des chevaux pour qu'ils nous obéissent ; nous pouvons ainsi diriger leur corps tout entier.

Pensez aux navires ; même s'ils sont très grands et que des vents puissants les poussent, nous les dirigeons avec un très petit gouvernail, et ils vont là où nous le voulons.

Pensez maintenant à la langue ; elle est une très petite partie du corps, mais elle peut se vanter d'être la cause d'effets considérables.

Pensez à l'étincelle qui met en flammes la forêt ! Eh bien, la langue lui ressemble. C'est une source de malheur installée dans notre corps, elle infecte l'être tout entier. Elle enflamme le cours de notre existence d'un feu inspiré de l'enfer même.

L'être humain est capable de dompter toute espèce d'animaux sauvages, mais personne n'a jamais pu dompter la langue : elle est mauvaise, venimeuse et sans cesse en action.

Nous l'utilisons pour adorer Dieu, mais aussi pour maudire les êtres humains qu'il a créés à sa ressemblance.

Des paroles de bénédiction ou de malédiction sortent de la même bouche.

Mes amis, il ne faut pas qu'il en soit ainsi.

D'aucune source ne jaillissent en même temps l'eau douce et l'eau amère. Aucun figuier ne produit des olives, aucune vigne ne produit des figues ; une source d'eau salée ne peut pas donner de l'eau douce.

Jacques, 3. 3-12

Le vinaigre attaque les dents et la fumée irrite les yeux ; de même le paresseux est une source d'agacement pour son maître.

Proverbes, 10. 26

Celui qui aime les plaisirs alimentera sans fin le besoin ; l'amateur de vin et de bonne chère ne sera jamais rassasié et ne deviendra jamais riche.

Proverbes, 21. 17

La folie est comme une courtisane bruyante, ignorante et naïve.

Elle est assise devant la porte de sa maison, sur les hauteurs de la ville.

Elle interpelle les passants qui vont droit leur chemin :

« Eh toi ! Oui toi qui ne sais rien, viens ! Fais un détour par ici. »

Elle déclare à ceux qui ont la tête vide : « Regarde comme la boisson volée est agréable et comme

la nourriture interdite est délicieuse. »
Pauvres ignorants qui ne savent pas qu'ils vont rejoindre ceux qui sont définitivement tombés ; ignorent-ils que les invités de cette femme menteuse s'enfoncent dans le monde des ténèbres.

Proverbes, 9. 13-18

Mon fils, n'oublie pas mes paroles, retiens bien ce que je vais te dire maintenant :
Fais ce que je te conseille et tu vivras. Veille à mon enseignement comme à la prunelle de tes yeux. Garde-le à portée de main et de cœur, imprègnes-en ton esprit.
Adopte la sagesse comme ta propre sœur et l'intelligence comme ta meilleure amie.
Ces jumelles te préserveront de la femme d'autrui, du langage mielleux de la séductrice.
Écoute ceci : un jour, j'étais à la fenêtre et je regardais dehors. J'ai observé des jeunes gens inexpérimentés et j'ai remarqué parmi eux un jeune écervelé.
Il passait dans la ruelle, près de l'endroit où vit l'une de ces femmes croqueuses d'hommes. Naturellement, le garçon prit le chemin de sa maison.

C'était à la tombée du jour, lorsque la nuit s'approche, que l'obscurité s'installe en même temps que les formes perdent leurs contours. La femme, habillée et maquillée comme une courtisane, vint à sa rencontre, la ruse au cœur, l'indécence au corps.

Ardente et toujours excitée, elle ne tient pas en place dans sa maison. Elle court les rues et les places, cherchant l'aventure. Impertinente, elle aborde le jeune homme, l'embrasse même et lui dit d'un air effronté : « J'avais promis à Dieu des offrandes et aujourd'hui, je les ai offertes. C'est pourquoi, je suis sortie. Et voilà que je te rencontre ! Justement, je voulais faire ta connaissance et je t'ai trouvé. J'ai préparé mon lit avec de précieuses couvertures multicolores, des tissus somptueux venus d'Égypte. J'ai parfumé ma chambre avec de la myrrhe, de l'aloès et de la cannelle. Viens, enivrons-nous d'amour jusqu'au matin, jouissons ensemble du plaisir qu'il procure. Mon mari est absent, parti pour un long voyage. Il a emporté une bourse pleine d'argent et il ne reviendra pas avant la pleine lune. »

Perfide et ensorcelante, elle le persuade et l'entraîne. Et je le vois la suivre comme un bœuf va

à l'abattoir. Il se livre stupidement à cette fille,
pieds et poings liés, jusqu'à ce qu'il soit blessé en
plein cœur. Comme un passereau qui tombe dans
le filet de l'oiseleur, il ne sait pas que le piège se
referme et que sa vie est en danger.
Maintenant donc, mon fils, écoute-moi et tiens
compte de mes paroles. Que ton cœur ne se
laisse pas séduire par une pareille femme et ne
t'engage jamais sur un tel chemin. Car cette catin
en a blessé et ruiné plus d'un ; même des hommes
qui se pensaient forts et vertueux ont été de ses
victimes. Aller chez elle, c'est s'approcher des
ténèbres, c'est glisser sur la pente qui conduit à
ses demeures.

Proverbes, 7. 1-27

Ne te fatigue pas à te faire écouter d'un imbécile ;
jamais il ne mesurera la valeur de tes propos !

Proverbes, 23. 9

Nous savons que la loi de Dieu est spirituelle ;
mais moi, je suis charnel, esclave de mes pulsions
et de mes tensions.
Ce que je fais, je ne le comprends pas. Alors que
je ne parviens pas à faire ce que je désire, j'ac-

complis sans peine et même sans effort ce que je
déteste.

Si ce que je ne veux pas, je le fais, je dois reconnaître que la loi divine est exacte.

Ce n'est plus moi qui fais le mal, mais le mal lui-
même qui habite en moi.

Et je suis obligé de constater ceci : ce qui est bien
et bon ne m'habite pas, c'est-à-dire dans mon être.

Si je suis capable de vouloir le bien, je ne le suis
pas de l'accomplir. Je ne fais pas le bien que je
désire, mais je pratique le mal que je ne veux pas.

Si je fais malgré moi ce que je ne veux pas, c'est
que ce n'est pas moi qui accomplis ces choses,
mais une force maléfique en moi.

Je viens donc à cette évidence pour moi qui veux
faire le bien sans y parvenir : le mal se présente
spontanément à moi.

Pourtant, j'aime Dieu et souhaite accomplir ses
lois, dans mon for intérieur, mais je vois dans mes
membres une autre loi, une force qui combat ma
volonté et mon intelligence et qui me rend victime
du mal qui agit dans mes membres.

Malheur à moi, pauvre que je suis ! Qui me déli-
vrera de ce corps mortel ?

Romains, 7. 14-24

Rien n'est plus trompeur ni plus hypocrite que le cœur de l'homme.
Incurable et insondable, qui pourrait le comprendre vraiment ?

Jérémie, 17. 9

FRATERNITÉ ET ÉCHANGE

Si tu veux que cessent les querelles et les paroles méprisantes, chasse les insolents ; les disputes cesseront d'elles-mêmes !

Proverbes, 22. 10

Ne t'associe pas avec quelqu'un d'irritable et éloigne-toi de la compagnie de l'homme agressif. Sinon, tu finiras par copier leur comportement et à leur ressembler ; tu seras entraîné dans le pire des engrenages.

Proverbes, 22. 24-25

Il faut se garder sérieusement d'infliger une amende à un innocent ; il est foncièrement injuste de punir quelqu'un de respectable.

Proverbes, 17. 26

Quand on ne consulte personne, la plupart des projets échouent. Grâce à de nombreux conseils, ils ont toutes les chances de se réaliser.

Proverbes, 15. 22

Un regard bienveillant suscite de la joie et une bonne nouvelle réveille les forces.

Proverbes, 15. 30

Pour trouver une place parmi les sages, il te suffit d'écouter les critiques ;
elles sont souvent salutaires.

Proverbes, 15. 31

L'homme intelligent ne fait pas étalage de ses connaissances ;
les sots exhibent leur bêtise.

Proverbes, 12. 23

Un homme droit et juste montre la voie à son compagnon, le sentier des hommes méchants les égare.

Proverbes, 12. 26

C'est une eau profonde et vivifiante que le conseil au cœur de l'homme ;
l'homme avisé n'a qu'à y puiser.

Proverbes, 20. 5

Mieux vaut vivre au coin d'un toit que partager sa maison avec une femme acariâtre.

Proverbes, 21. 9

Mieux vaut rencontrer une ourse privée de ses petits qu'un imbécile qui se drape dans sa bêtise.

Proverbes, 17. 12

Le fouet est pour le cheval, la bride pour l'âne et les coups pour les sots.
Ne réponds pas au sot en calquant sa bêtise, tu risquerais de devenir toi-même semblable à lui.

Proverbes, 26. 3-4

Une pierre peut être lourde et du sable très pesant, mais la rancune d'un imbécile pèse plus lourd encore.

Proverbes, 27. 3

Féliciter un sot, c'est comme attacher une pierre à une fronde.

Proverbes, 26. 8

Se mêler d'une dispute qui ne vous concerne pas,
c'est vouloir attraper un chien qui passe par les
oreilles.

Proverbes, 26. 17

Comme un fou furieux qui lance des flammes,
des flèches et la mort,
Ainsi est l'homme qui trompe son ami et qui dit :
C'était pour rire !

Proverbes, 26. 18-19

Comme dans l'eau le visage répond au visage,
Ainsi le cœur de l'homme répond au cœur de
l'homme.

Proverbes, 27. 19

Celui qui garde sa bouche et sa langue
Garde son âme de la détresse.

Proverbes, 21. 23

Tel, qui bavarde à la légère, blesse comme une
épée ;
Mais la langue des sages apporte la guérison.

Proverbes, 12. 18

Celui qui parle à tort et à travers trahit aussi les secrets.

Un homme digne de confiance garde tout pour lui.

Proverbes, 11. 13

Ne te réjouis pas lorsque ton ennemi tombe, ne saute pas de joie lorsqu'il est écrasé par le malheur.

Proverbes, 24. 17

Une parole bien tournée est aussi précieuse qu'un objet en or serti de motifs d'argent.

Proverbes, 25. 11

Avec beaucoup de patience on peut incliner l'avis d'un juge ; des paroles douces viennent à bout des résistances les plus farouches.

Proverbes, 25. 15

Ne rends pas trop souvent visite à ton voisin ; il risque de se lasser de toi au point de te détester.

Proverbes, 25. 17

Celui qui projette le mal acquiert vite la réputation d'être maître en intrigues.

Proverbes, 24. 8

LES PLUS BELLES PAROLES DE LA BIBLE

Celui qui oriente mal sa maison l'expose au mauvais vent. L'imbécile s'expose à devenir l'instrument du sage.

Proverbes, 11. 29

Les manœuvres et autres manigances d'un imbécile sont toujours coupables ; celui qui se moque de tout se rend ignoble et odieux.

Proverbes, 24. 9

N'essaie pas, comme le ferait un gangster, de t'approprier par la ruse la maison d'un honnête homme, ne le prive pas de son domicile. S'il est vrai qu'un honnête homme peut tomber très souvent sous les coups du sort, il est certain qu'il s'en relève toujours ; par contre, les bandits sont terrassés par l'épreuve.

Proverbes, 24. 15-16

Faire confiance à un traître au temps de l'épreuve, c'est comme mordre avec une dent branlante ou s'appuyer sur un pied malade.

Proverbes, 25. 19

Chanter des chansons à quelqu'un frappé de tristesse produit le même effet qu'ôter son manteau par un temps glacial ou mettre du vinaigre sur une coupure.

Proverbes, 25. 20

Ne partage pas le repas d'un homme envieux et malintentionné et ne convoite pas davantage ses bons plats. Car il ne pense pas ce qu'il dit. Il t'invite à manger, mais en réalité il ne te veut aucun bien. Il ne te faudra pas longtemps pour vomir ce que tu as mangé et tes paroles flatteuses n'auront pas servi à grand-chose.

Proverbes, 23. 6-8

Des paroles sages sortent de la bouche de l'homme juste. Les menteurs ne méritent pas moins qu'on leur coupe la langue.

Proverbes, 10. 32

L'homme dont l'esprit sage réfléchit avant de parler : ses paroles deviennent convaincantes.
Des paroles aimables sont pareilles au miel dont les rayons sont agréables au goût et bons pour la santé.

Proverbes, 16. 23-24

Le corps n'est pas constitué d'une seule partie, mais de plusieurs. Si le pied déclarait : « Je ne suis pas une main, donc je n'appartiens pas au corps », cela n'empêcherait pas d'être, malgré ses dires, une partie du corps. Et si l'oreille décidait : « Je ne suis pas un œil, donc je n'appartiens pas au corps », elle ne cesserait pas pour autant d'être une partie du corps.

Si l'ensemble du corps n'était qu'un œil, comment pourrait-il entendre ? Et s'il n'était qu'une oreille, comment sentirait-il les odeurs ?

En vérité, Dieu a disposé chacune des parties du corps selon son bon plaisir. Il n'existerait pas de corps s'il ne se trouvait en tout qu'une seule partie ! Évidemment, il y a plusieurs parties pour former un seul corps.

L'œil ne peut pas dire à la main : « Je n'ai rien à faire de toi ! » Et la tête ne peut pas déclarer aux pieds : « Je n'ai guère besoin de vous ! »

Par ailleurs, les parties du corps qui semblent les plus faibles sont indispensables ; celles que nous estimons peu, nous les entourons pourtant de plus de soin que les autres ; celles dont il est indécent de parler sont traitées avec de grands égards qu'il n'est pas nécessaire d'accorder à certaines autres. Dieu a disposé le corps de manière à donner plus d'honneur aux parties qui en manquent : ainsi, il n'y a pas de division dans le corps, mais les différentes parties ont toutes un égal souci les unes des autres. Si une partie du corps souffre, toutes les autres souffrent avec elle ; si une partie est honorée, toutes participent à cet honneur. Toute cette démonstration pour en arriver à ceci : vous êtes le corps du Christ, et chacun de vous est une partie de ce corps.

1 Corinthiens, 12. 14-27

Voici comment vous devez vous comporter :
Que chacun de vous dise la vérité à son prochain.
Que vos tribunaux pratiquent une justice équitable et qu'ils engendrent ainsi la paix en votre sein !
Ne projetez aucun mal entre vous, refusez les hypocrisies et les faux serments,
Car je l'atteste : je déteste ce type de comportement, moi, le Seigneur.

Zacharie, 8. 16-17

N'avons-nous pas tous un seul père ?
N'est-ce pas un Dieu unique qui nous a créés ?
Dès lors, pourquoi nous trahissons-nous les uns
les autres,
En bafouant l'alliance de nos pères ?

Malachie, 2. 10

Que votre amour soit franc et direct, sans hypo-
crisie.
Ayez le mal en aversion ; soyez attachés au bien.
Par amour fraternel, soyez pleins d'affection
mutuelle, prévenants et serviables.
Au service de Dieu et du prochain, ayez du zèle
et non de la nonchalance ;
soyez dynamiques dans l'amitié et la bienveillance.
Soyez porteurs de joie dans l'espérance et résis-
tants dans la souffrance,
patients dans l'affliction ; persévérez dans la prière.
Prenez soin des plus démunis jusqu'à pourvoir à
leurs besoins.
Exercez l'hospitalité.
Faites du bien à ceux qui vous frappent et bénissez
ceux qui vous maudissent !
Soyez joyeux avec ceux qui éclatent de joie ;
pleurez avec ceux qui pleurent.

Ayez les mêmes sentiments les uns envers les autres. N'espérez pas ce qui est élevé, mais veillez à rester humbles.

Ne soyez pas grands et sages à vos propres yeux. Ne ripostez pas au mal et recherchez plutôt ce qui est bon et bien pour ceux qui vous entourent.

Si cela dépend de vous, et dans la mesure du possible, soyez en paix avec tout le monde.

Ne vous vengez pas vous-mêmes, mais laissez Dieu se charger de vous défendre, lui qui déclare : « C'est moi qui rétribuerai ! C'est moi qui vengerai ! »

Mais vous, conduisez-vous autrement !

Si ton ennemi a faim, donne-lui à manger ; s'il a soif, donne-lui à boire !

En faisant ainsi, ce sont des charbons ardents que tu amasses sur sa tête.

Ne sois pas victime du mal, mais vainqueur du mal par le bien.

Romains, 12. 9-16

NATURE ET BON SENS

Il y a quatre animaux parmi les plus petits de la terre
Qui cependant apportent des leçons de sagesse :
Les fourmis, multitude sans force,
Anticipent en été leur nourriture ;
Les damans, peuple sans puissance,
Construisent leur habitation dans les rochers ;
Les sauterelles, population sans roi,
Sortent ensemble en parfaites divisions ;
Le lézard, que tu peux tenir dans tes mains,
Et qui se faufile dans les palais des princes.

Proverbes, 30. 24-28

Une bonne humeur et un moral serein favorisent
la guérison, tandis que la tristesse dissout toute
vitalité.

Proverbes, 17. 22

Le cœur soucieux et agité déprime un homme,
une parole aimable et attentionnée le réconforte.

Proverbes, 12. 25

Bien des gens se gargarisent de leur bonté, mais qui trouvera dans cette masse quelqu'un de vraiment sincère ?

Proverbes, 20. 6

De la fumée, dit le Sage, tout n'est que vapeur et fumée, tout disparaît.
L'homme travaille durement ici-bas mais quel profit en tire-t-il ?
Une génération passe, une nouvelle lui succède, mais le monde demeure indéfiniment identique.
Le soleil se lève, puis se couche ; en hâte,
il fait un tour et revient à son point de départ.
De même, le vent souffle tantôt vers le sud, tantôt vers le nord ;
il souffle, tourne et tourne encore,
puis il reprend sur son premier circuit.
Tous les fleuves se jettent dans la mer,
et elle n'est jamais remplie.
Sans arrêt pourtant, les fleuves s'y déversent.
Toutes les paroles sont usées.
L'œil n'est jamais rassasié de ce qu'il voit
et l'oreille n'est pas saturée de ce qu'elle entend.
On ne pourra jamais assez dire combien tout cela est désespérant, usant.

Ce qui est arrivé arrivera encore
Ce qui a été fait se refera.
Rien de nouveau sous le soleil.
S'il y a quelque chose que nous pensons être une nouveauté,
en réalité cela avait déjà existé bien longtemps avant nous.
Mais nous oublions ce qui est déjà arrivé à nos ancêtres.
Les hommes qui viendront après nous
ne laisseront pas davantage de souvenir à ceux qui leur succéderont.

Ecclésiaste, 1. 2-11

Il y a un moment pour tout, un temps pour toute chose sous le soleil :
Un temps pour enfanter et un temps pour mourir ;
Un temps pour planter et un temps pour arracher ;
Un temps pour tuer et un temps pour guérir ;
Un temps pour démolir et un temps pour bâtir ;
Un temps pour pleurer et un temps pour rire ;
Un temps pour se lamenter et un temps pour danser ;
Un temps pour jeter des pierres et un temps pour les ramasser ;

Un temps pour étreindre et un temps pour s'éloigner de l'étreinte ;
Un temps pour chercher et un temps pour perdre ;
Un temps pour conserver et un temps pour jeter ;
Un temps pour déchirer et un temps pour recoudre ;
Un temps pour se taire et un temps pour parler ;
Un temps pour aimer et un temps pour haïr ;
Un temps pour la guerre et un temps pour la paix.
Que reste-t-il à celui qui travaille de la peine qu'il prend ?
Je regarde la tâche que Dieu confie aux enfants des hommes.
Tout ce qu'il a fait est beau en son temps,
et même il a mis dans leur cœur la pensée de l'éternité,
bien que l'homme ne puisse pas saisir l'œuvre que Dieu a faite,
du commencement jusqu'à la fin.
J'ai reconnu qu'il n'y a rien de bon pour cet homme sinon de se réjouir
et de faire ce qui est bon pendant sa vie ;
et aussi que pour tout homme, manger, boire et voir ce qui est bon au milieu de tout son travail, est un don de Dieu.

J'ai reconnu que tout ce que Dieu fait dure éternellement,
il n'y a rien à y ajouter et rien à en retrancher.
Dieu agit ainsi afin qu'on ait du respect à son égard.

Ecclésiaste, 3. 1-14

Parfois, mieux vaut se rendre dans la maison où
l'on pleure un mort que dans celle où se tient un
banquet. La mort est la fin de tout homme ; il est
bon que chacun s'en souvienne.
La douleur est préférable au rire. Si elle attriste le
visage, elle rend le cœur meilleur.
Là où quelqu'un souffre, on rencontre un sage ; là
où on s'amuse, on rencontre un sot.
Mieux vaut écouter les avertissements d'un homme
sensé que les louanges d'un sot.
Le rire du sot est semblable au crépitement des épines au feu : étincelle et fumée qui s'évanouissent !

Ecclésiaste, 7. 2-6

La sagesse a autant de valeur qu'un héritage et
chacun peut en tirer profit.
Comme l'argent, elle met à l'abri des dangers. Elle
prolonge la vie de qui la possède : voilà pourquoi
il est essentiel de la saisir.

Considère et analyse l'œuvre de Dieu. Ce qu'il a
courbé, personne ne peut le redresser. Au jour
du bonheur, sois heureux ; au jour du malheur,
réfléchis.

Ecclésiaste, 7. 11-14

Jette ton pain à la surface des eaux,
car avec le temps tu le retrouveras ;
autrement dit, prends des risques.
N'hésite pas à investir dans plusieurs affaires
car tu ignores quel malheur peut arriver demain.
Fatalement, quand les nuages sont gonflés de pluie,
il pleut ;
de quelque côté qu'un arbre tombe, il reste en place.
Qui s'arrête au vent menaçant ne sèmera jamais ;
qui s'inquiète toujours des gros nuages ne moisson-
nera pas.
Pas plus que tu ne connais le circuit des vents
ou la formation de l'embryon dans le ventre de
sa mère,
tu ne connais pas non plus l'œuvre de Dieu.
Dès le matin sème ta semence,
et le soir ne laisse pas reposer ta main
puisque tu ignores ce qui réussira.

Ecclésiaste, 11. 1-6

Voici ce que j'ai remarqué :

Cultiver l'injustice ou semer la misère conduit à récolter injustice et misère.

Dieu efface de son souffle ceux qui s'y complaisent ;

il fait taire leurs rugissements sauvages

et il casse les dents à ces bêtes féroces.

Voici ce qui m'a été révélé :

Un message secret m'est parvenu,

mon oreille a discerné un léger murmure.

C'était comme un rêve,

la nuit lorsque les pensées sont confuses et que l'engourdissement vous écrase.

Un frisson de terreur m'a parcouru ; tout mon corps grelottait.

Un souffle effleura mon visage et me donna la chair de poule.

Quelqu'un se tenait là !

Je percevais à peine une forme sous mes yeux.

D'abord, un silence inquiétant, puis une parole, une question :

« Face à Dieu, son Créateur, me susurrait la voix, l'homme oserait-il se dire irréprochable et pur ? »

Si Dieu ne se fie pas à ses anges et s'il critique ses serviteurs,

à plus forte raison ne peut-il avoir confiance en
vous, pauvres humains.
Vous n'êtes que créatures d'argile,
dont le corps est poussière, et qu'on peut écraser
et dissoudre
comme on le fait d'une mite !
En moins d'une journée les humains sont réduits
en poudre,
disparus pour toujours sans qu'on s'en effarouche.
Le fil qui les tenait à la vie a été arraché,
et les voilà tous morts, ignorant la sagesse.

Job 4. 8-21

Ce qui intéresse le sot n'est pas de comprendre,
mais plutôt de faire étalage de son opinion.

Proverbes, 18. 2

Chacun est seul dans ses chagrins et dans ses joies,
personne d'autre ne peut réellement les partager.

Proverbes, 14. 10

Abondance de paroles ne va pas sans risque et
offense ; celui qui sait retenir ses lèvres est un
homme prudent et circonspect. Les paroles d'un
homme droit valent l'argent le plus pur. Par contre,

ce que pense et dit un homme douteux n'a aucune
valeur. Les propos d'un homme juste profitent à
beaucoup, tandis que les imbéciles meurent, la
tête vide.

Proverbes, 10. 19 21

Le vin n'est que moquerie ; la boisson forte est
tumultueuse, insolente.
Quiconque s'y perd ne deviendra jamais sage.

Proverbes, 20. 1

Des mains actives procurent le pouvoir, mais la
nonchalance mène à l'esclavage.

Proverbes, 12. 24

La faim contraint le travailleur à se donner de la
peine, c'est avant tout son appétit qui l'y pousse.

Proverbes, 16. 26

Un paysan trop paresseux pour labourer ses
champs à l'automne ne trouvera rien à récolter à
l'époque de la moisson, même s'il est mieux disposé.

Proverbes, 20. 4

Celui qui s'en va en pleurant, quand il porte la
semence à répandre,
Revient avec chants d'allégresse quand il porte
ses gerbes.

Psaumes, 126. 6

Même si l'on passait un imbécile au pilon, comme
on broie des grains dans un mortier, on n'arriverait
pas à en extraire sa bêtise.

Proverbes, 27. 22

Le ciel fait éclater la puissance glorieuse de Dieu,
la voûte céleste et le ciel étoilé révèlent ce qu'il
a fait.
Chaque jour le murmure au jour suivant,
et chaque nuit le susurre à celle qui la suit.
Ce n'est pas un discours proclamé, ce ne sont pas
des mots hurlés,
l'oreille n'entend aucun son.
Cependant ce message sillonne toute la terre.
Dieu a dessiné dans le ciel un trajet pour le soleil.
Le matin, celui-ci paraît,
Fringant comme un jeune marié qui sort de sa
chambre,
Tel un champion fier de prendre son élan.

L'astre radieux sort d'une extrémité du ciel,
son parcours le mène à l'autre extrémité,
rien n'échappe à ses rayons.

Psaumes, 19. 2-7

Interroge donc les animaux, ils t'instruiront,
Les oiseaux du ciel, ils te le révéleront ;
Médite au sujet de la terre, elle t'enseignera ;
Et les poissons de la mer, ils te le raconteront.
Qui ne reconnaît chez ces autres êtres vivants la
preuve
Que la main du Créateur est à l'origine de tout cela ?
De plus, il tient dans sa main l'âme de tout ce qui vit,
Le souffle de tout homme.

Job, 12. 7-10

LE COUPLE ET LE FOYER

Sache bien que la prostituée comme la femme d'autrui sont aussi dangereuses qu'un caveau profond ou qu'un puits étroit sans fond.

Proverbes, 23. 27

Une femme courageuse fait la fierté de son mari. Une femme odieuse est comme un cancer qui grignote les os.

Proverbes, 12. 4

Bois l'eau de ta propre citerne, celle qui jaillit de ton puits !
Pourquoi tes fontaines s'écouleraient-elles au-dehors ;
Pourquoi tes ruisseaux se répandraient-ils sur les places publiques ?
Qu'ils restent pour toi seul, et non pour des étrangers avec toi !
Bénie soit ta source !
Jouis-en avec la femme de ta jeunesse : biche aimable, gracieuse gazelle !

En tout temps que ses seins t'enivrent, sois toujours comblé de son amour !
Pourquoi, mon fils, te laisserais-tu séduire par une étrangère
et embrasserais-tu le sein d'une vaurienne dévergondée ?

Proverbes, 5. 15-19

Qui a trouvé une femme a touché au bonheur ; il a obtenu une faveur d'en haut !

Proverbes, 18. 22

Une femme pleine de sagesse construit et assure la solidité d'un foyer, mais une femme pleine de sottise le détruit sûrement de ses propres mains.

Proverbes, 14. 1

Il y a trois choses qui font trembler la terre, et quatre qu'elle ne peut supporter : un esclave qui devient roi ; un homme vulgaire qui s'empiffre ; une femme odieuse qui parvient à se marier ; une servante qui hérite de sa maîtresse.

Proverbes, 30. 21-23

Mieux vaut coucher dans le coin le plus éloigné du désert qu'avec une femme querelleuse, acariâtre et irritable.

Proverbes, 21. 19

Une gouttière qui ne cesse de couler par un jour de pluie,
Voilà à quoi ressemble une femme qui déverse sans cesse son venin.
Vouloir arrêter ses querelles, c'est comme vouloir retenir le vent, chercher à saisir de l'huile avec la main.

Proverbes, 27. 15-16

L'idiot fait le malheur de son père.
La femme chicaneuse qui ergote sans cesse est une gouttière qui fuit.
On peut hériter terre, maison et argent de ses aïeux, mais seul le Seigneur peut donner une femme sensée.

Proverbes, 19. 13-14

Garde, mon fils, les conseils de ton père, ne rejette pas l'enseignement de ta mère.

Fixe-les constamment dans ton cœur ; fais-en un collier !

Dans tes démarches, ils seront ton guide ;

dans ton repos, ils te garderont ;

dès ton réveil, ils t'habiteront.

Car l'avertissement est une lampe et l'enseignement une lumière ;

les exhortations à la discipline dessinent le chemin de ta vie.

Ainsi seras-tu préservé de la femme adultère,

de la langue doucereuse de la courtisane.

Ne te laisse pas impressionner par sa beauté jusqu'à la désirer ;

ne te laisse pas piéger par ses œillades.

Peut-on emporter du feu dans sa poche sans enflammer ses vêtements ?

Peut-on marcher sur de la braise incandescente sans se brûler les pieds ?

Ainsi est celui qui court après la femme de son prochain.

Qui s'y risque n'en sortira pas indemne.

On ne méprise pas le voleur qui vole pour s'emplir l'estomac quand il a faim ;

pourtant, s'il est pris, il rendra compte.

Mais l'adultère est privé de sens – qui veut sa propre perte n'agit pas autrement !

Il récolte coups et mépris, et jamais ne s'effacera sa honte.

D'autant que la jalousie et la colère excitent la rage du mari ;

au jour de la vengeance, il sera sans pitié et n'aura égard à aucune compensation ;

il ne te pardonnera jamais, même si tu multiplies les cadeaux.

Proverbes, 6. 20-35

Un anneau d'or au nez d'un cochon : c'est comme une belle femme mais sans intelligence.

Proverbes, 11. 22

Soumettez-vous les uns aux autres à cause du respect que vous avez pour Jésus-Christ.

Femmes, soyez soumises à vos maris, comme vous l'êtes au Seigneur.

Le mari est le chef de sa femme, comme le Christ est le chef de l'Église.

C'est pourquoi, maris, aimez vos femmes tout comme le Christ a aimé l'Église jusqu'à donner sa vie pour elle.

Les maris doivent aimer leurs femmes comme ils aiment leur propre corps.

Celui qui aime sa femme s'aime lui-même.

En effet, personne n'a jamais haï son propre corps ; au contraire, on le nourrit et on en prend soin, comme le Christ prend soin de l'Église, dont nous faisons tous partie.

Il y a une grande vérité cachée dans cette formulation. Je dis, moi, que le couple est l'image du rapport entre le Christ et l'Église. Il s'applique donc aussi à vous : il faut que chaque mari aime sa femme comme lui-même, et que chaque femme respecte son mari.

Éphésiens, 5. 21-33 (extraits)

AVOIR LA BONNE ATTITUDE

L'honnêteté protège celui qui se conduit bien. Le mal entraîne la chute de celui qui le pratique.

Proverbes, 13. 6

Quiconque mène sa vie avec droiture et rigueur sera en sécurité. L'hypocrite, qui mène une double vie, se perdra en route d'une façon ou d'une autre.

Proverbes, 28. 18

Les cadeaux sont une pierre précieuse aux yeux de ceux qui en disposent ;
De quelque côté qu'ils se tournent, ils reçoivent des faveurs.

Proverbes, 17. 8

« Trop cher ! Mauvaise affaire » proteste celui qui achète ! Puis, il s'en va et se félicite de sa transaction.

Proverbes, 20. 14

Pour Dieu, avoir deux poids, deux mesures, c'est absolument détestable.

Proverbes, 20. 10

Bien mal acquis ne profite jamais, seule une conduite honnête préserve du pire.

Proverbes, 10. 2

Dans un premier temps, la nourriture volée est un délice, mais très vite elle devient du gravier dans la bouche.

Proverbes, 20. 17

Mon fils, t'es-tu rendu complice de la dette d'un ami en tapant dans la main d'un autre homme ? T'es-tu engagé par tes paroles et lié par des promesses dans pareille affaire ?
Si oui, te voilà vulnérable entre les mains du créancier et il faut t'en libérer. Va le voir, supplie-le si nécessaire, mais romps cette mauvaise alliance. Ne t'accorde aucun repos et ne ferme pas l'œil avant d'y être parvenu. Recouvre ta liberté comme la gazelle et le passereau qui réussissent à s'extraire du piège où ils sont tombés.

Proverbes, 6. 1-5

Toi qui es paresseux, observe le trafic de la fourmi. Regarde et analyse son comportement ; prends-en une leçon de sagesse.

La fourmi n'a ni contrôleur, ni contremaître, ni directeur. Cela ne l'empêche pas d'amasser sa nourriture l'été ; au temps de la récolte, elle fait ses provisions.

Et toi, fainéant, combien de temps resteras-tu allongé ? Sortiras-tu de ta couchette ?

Tu penses prendre un peu de repos et tu t'accordes de t'assoupir un petit moment, tu demeures les bras croisés. Mais pendant ce temps, la pauvreté te surprendra comme un voleur de banlieue, et la misère comme un pillard du désert.

Proverbes, 6. 6-11

Il n'est pas juste d'avoir du parti pris. Mais cela n'empêche pas certains de commettre cette imprudence en échange d'une bouchée de pain.

Proverbes, 28. 21

L'homme juste qui se laisse influencer par le méchant est semblable à une source polluée.

Proverbes, 25. 26

Celui qui dit la vérité fait éclater la justice, mais le faux témoin ouvre la trappe de l'erreur.

Proverbes, 12. 17

Un cadeau fait discrètement apaise la colère ; un présent fait secrètement éteint la fureur violente.

Proverbes, 21. 24

Un anneau ou un collier d'or fin, c'est la réprimande d'un sage pour celui qui accepte de l'écouter.

Proverbes, 25. 12

L'imbécile estime toujours qu'il a raison et que son chemin est droit ; le sage écoute et accepte simplement les conseils.

Proverbes, 12. 15

Tiens compte des avertissements et tu avanceras dans la vie ; rejette les réprimandes et tu t'égareras.

Proverbes, 10. 17

Celui qui ne cherche que son intérêt s'isole de tous, il s'irrite quand on lui propose le moindre conseil.

Proverbes, 18. 1

Si tu réprimandes un effronté, tu ne récoltes que mépris ; si tu critiques un méchant, il t'insulte ! Ne critique pas l'orgueilleux ni l'arrogant ; ils te haïraient.

Par contre, reprends le sage et il t'aimera. Ce que tu partages avec un sage développe sa sagesse. Ce que tu transmets à un homme honnête augmente son savoir.

Proverbes, 9. 7-9

Quand tu es invité à la table d'un homme puissant, n'oublie pas qui est devant toi. Et refrène tous tes appétits.

Proverbes, 23. 1-2

Si tu as un différend avec ton voisin, règle-le rapidement, mais ne dévoile jamais la confidence d'autrui. Sinon, celui qui l'entend aura le droit de te le reprocher et tu ne pourras plus corriger pareille indiscrétion.

Proverbes, 25. 9-10

Les pensées de l'homme actif le conduisent sur le terrain de l'abondance ; celui qui agit dans la précipitation va directement vers la pénurie.

Proverbes, 21. 5

C'est dans le retour à Dieu et le repos que sera
votre salut,
C'est dans le calme et la confiance que sera votre
force.

Isaïe, 30. 15

Si telle entreprise ou telle œuvre vient des hommes,
elle se détruira d'elle-même ; mais si elle vient de
Dieu, vous ne pourrez pas la détruire. Prenez
donc garde de ne pas vous trouver en train de
résister contre une action divine.

Actes, 5. 38-39

Tout m'est permis ; mais tout n'est pas utile ou
profitable. Tout m'est permis, oui, mais je ne me
laisserai pas dominer par quoi que ce soit !

1 Corinthiens, 6. 12

Nous n'avons aucun pouvoir, ni aucun argument,
contre la vérité ; nous n'en avons que pour la vérité.

2 Corinthiens, 13. 8

Vous avez été appelés à vivre la liberté ; seulement,
ne transformez pas cette liberté en prétexte pour
vivre la licence qu'encouragent vos passions.

Mais par amour fraternel, mettez vous au service les uns des autres.

Galates, 5. 13

Que chacun mette au service de la collectivité le don qu'il a reçu.

1 Pierre, 4. 10

QUALITÉS HUMAINES

Les paroles de l'homme peuvent être profondes comme l'océan, vivifiantes comme un torrent et source de sagesse.

Proverbes, 18. 4

Les paroles peuvent être source de vie ou de mort. Qui aime parler doit en accepter les conséquences.

Proverbes, 18. 21

Une femme pleine de sagesse assure la solidité d'un foyer, mais une femme sotte le détruit de ses propres mains.

Proverbes, 14. 1

Le héros véritable est celui qui vainc sa colère. Il vaut mieux être maître de soi que maître d'une ville.

Proverbes, 16. 32

Qui reste calme fait preuve d'une grande intelligence, qui s'emporte montre sa bêtise.

Proverbes, 14. 29

Une réponse aimable apaise la colère, mais une parole brutale l'excite.

Proverbes, 15. 1

Quelqu'un d'expérimenté évite de trop parler et quelqu'un de raisonnable prend le temps de réfléchir.

Proverbes, 17. 27

Il est agréable de savoir bien répondre ; quelle grâce de pouvoir dire la parole juste au moment voulu !

Proverbes, 15. 23

Celui qui surveille ses paroles met sa vie à l'abri ; celui qui dit n'importe quoi s'expose à la faillite.

Proverbes, 13. 3

Il faut de la sagesse pour construire une maison, de l'intelligence pour la rendre habitable.
Il faut du savoir-faire pour en remplir les pièces d'objets agréables et précieux.

Proverbes, 24. 3-4

Il est risqué de se fier aux impulsions de son cœur, seul celui qui se conduit avec sagesse échappe au danger.

Proverbes, 28. 26

Laisse aux autres le soin de chanter tes louanges. Qu'un étranger le fasse plutôt que toi-même !

Proverbes, 27. 2

La bonté fait du bien à celui qui l'exerce, mais la cruauté se retourne contre son auteur.

Proverbes, 11. 17

L'orgueil conduit à la faillite et l'arrogance à la ruine. Mieux vaut vivre modestement avec des gens simples que partager un riche profit avec des gens orgueilleux.

Proverbes, 16. 18-19

La femme vertueuse
Une femme vaillante est une véritable trouvaille ! Elle a plus de valeur que des perles.
Son mari peut placer sa confiance en elle, elle ne lui gaspille pas son bien.

Elle ne lui cause jamais de tort, mais elle lui donne du bonheur tous les jours de sa vie.

Elle se procure de la laine et du lin ; elle travaille de ses mains avec ardeur.

Pareille aux navires marchands, elle amène de loin sa nourriture.

Elle se lève avant le jour, prépare le repas de sa famille et distribue à ses servantes leur travail.

Après avoir bien réfléchi, elle achète un champ et plante une vigne grâce à l'argent qu'elle a gagné.

Elle se met au travail avec énergie ; ne laisse jamais ses bras inactifs.

Elle constate que ses affaires vont bien, elle travaille même la nuit à la lumière de sa lampe.

Ses mains s'activent à filer la laine, ses doigts à tisser des vêtements.

Elle tend une main secourable aux malheureux, elle est généreuse envers les pauvres.

Elle ne craint pas le froid pour les siens, car dans sa maison chacun profite d'un double vêtement.

Elle se fabrique des tapis et porte des vêtements raffinés en lin pourpre.

Elle confectionne des habits qu'elle vend ; elle livre des ceintures au colporteur.

La force et la dignité sont sa parure ; confiante, elle sourit à l'avenir.

Elle s'exprime avec sagesse, avec bonté elle donne des conseils.

Elle veille sur tout dans sa maison et refuse de rester inactive.

Ses enfants peuvent la féliciter, son mari peut chanter ses louanges. Tous peuvent la remercier.

« Bien des femmes se montrent vaillantes, peut-il lui confier, mais toi, tu les surpasses toutes. »

Que l'on récompense sa peine ! Que l'on chante ses mérites sur les places publiques.

Proverbes, 31. 10-31

Ayez entre vous un même amour, un même cœur, une commune pensée ; recherchez toujours l'unité. Ne faites rien par rivalité, rien par gloriole, mais avec humilité, considérez les autres comme supérieurs à vous. Que chacun de vous ne regarde pas à lui-même seulement, mais prenne en compte également les autres.

Philippiens, 2. 2-4

Mes frères, que tout ce qu'il y a de vrai, que tout ce qui est noble, juste, pur, digne d'être aimé, que tout ce qui mérite d'être honoré, ce qui s'appelle vertu, ce qui fait naître l'éloge, que tout cela soit l'objet de vos soins et porté à votre actif.

Philippiens, 4. 8

VIE DE LA CITÉ

Un roi assure la prospérité de son pays lorsqu'il respecte la loi et le droit, mais, s'il cherche à s'enrichir et s'il lève des impôts abusifs, il le conduit à la faillite.

Proverbes, 29. 4

Les agitateurs mettent une ville entière en effervescence, les sages apaisent la colère.

Proverbes, 29. 8

Lorsqu'un chef prête attention à des mensonges, tous ses subordonnés deviennent malhonnêtes.

Proverbes, 29. 12

Un roi qui juge les petites gens avec équité consolide à jamais son pouvoir.

Proverbes, 29. 14

Lorsqu'il n'y a plus de vision d'avenir, le peuple s'abandonne au désordre.

Proverbes, 29. 18

Celui qui fait la sourde oreille aux cris des pauvres, aux appels des démunis, n'obtiendra pas de réponse quand il appellera lui-même au secours.

Proverbes, 21. 13

Un chef qui embauche un sot ou n'importe quel passant fait du tort à tout le monde.

Proverbes, 26. 10

Si l'on ôte ses impuretés à l'argent, l'orfèvre en tirera un objet d'art.
Si l'on ôte les gens malfaisants de l'entourage du roi, celui-ci affermira son pouvoir en pratiquant la justice.

Proverbes, 25. 4-5

Un dirigeant dénué de raison commet de nombreuses injustices.
Celui qui se méfie des gains malhonnêtes et les déteste vivra longtemps.

Proverbes, 28. 16

Il n'est pas bien d'avoir du parti pris. Pourtant, certains commettent cette injustice en échange d'une simple bouchée de pain.

Proverbes, 28. 21

L'homme généreux envers les pauvres ne manquera jamais de rien, mais celui qui ferme les yeux sur leur misère sera maudit par beaucoup.

Proverbes, 28. 27

Lorsque les justes sont nombreux, le peuple est heureux, mais si un tyran se saisit du pouvoir, le peuple gémit.

Proverbes, 29. 2

Les données de la sagesse sont inaccessibles à l'imbécile. Qu'il ferme la bouche quand on discute des affaires publiques !

Proverbes, 24. 7

Personne n'affermit sa position par la méchanceté ; par contre rien ne fera chanceler le juste.

Proverbes, 12. 3

Le sage prend d'assaut une ville fortement défendue et abat les fortifications qui donnaient confiance à ses habitants.

Proverbes, 21. 22

Voici les conseils que Lemouel, roi de Massa, a reçus de sa mère :

Écoute, mon fils, mon propre enfant, toi l'objet de tous mes vœux.

Ne gaspille pas tes forces avec les femmes.

Ne te laisse pas mener par celles qui corrompent si facilement les rois.

Le vin, n'est pas bon pour les rois. Ce n'est pas à eux d'en abuser, ni à ceux qui gouvernent de s'adonner à l'alcool.

S'ils s'enivrent, ils oublieront d'appliquer les lois et trahiront le droit des pauvres gens.

Que l'on donne plutôt de telles boissons à ceux qui souffrent jusqu'à la mort, ou qui ont une vie misérable.

En s'enivrant, ils oublieront toutes leurs misères et tous leurs tourments.

Mais toi, tu dois prendre clairement la parole pour défendre ceux qui n'ont pas de voix, et tu dois pren-

dre, sans chanceler, le parti des laissés-pour-compte.
Plaide en leur faveur. Gouverne avec justice.
Prends la défense des pauvres et des démunis.

Proverbes, 31. 1-9

Tu n'exploiteras pas le salarié humble et pauvre,
qu'il soit frère ou étranger chez toi.
Chaque jour, tu lui verseras son dû, sans laisser
le soleil se coucher sur ce que tu lui dois ; pauvre comme il est, il espère ce salaire mérité. Si tu
n'étais pas régulier, tu serais en faute.
Les pères ne seront pas mis à mort pour les fils,
ni les fils condamnés pour les pères. Chacun sera
puni pour ses propres fautes.
Tu respecteras le droit de l'étranger et de l'orphelin ;
et tu ne gageras pas le vêtement de la veuve.
Je t'ordonne de mettre cette parole en pratique.
Lorsque tu feras la moisson dans ton champ, si tu
oublies une gerbe au champ, abandonne-la. Elle
nourrira l'étranger, l'orphelin et la veuve, et ton Dieu
te bénira dans toutes tes actions.
Lorsque tu gauleras ton olivier, tu n'iras rien y
rechercher ensuite. Ce qui restera sur l'arbre sera
pour l'étranger, l'orphelin et la veuve. De même,

lorsque tu vendangeras ta vigne, tu ne repasseras pas y grappiller ensuite. Ce qui restera sera pour l'étranger, l'orphelin et la veuve.

Deutéronome, 24 (extraits)

Celui qui soigne son figuier en mangera les fruits ; celui qui prend soin de son maître en tirera profit et honneur.

Proverbes, 27. 18

Un roi doit détester qu'on agisse mal ; la pratique de la justice maintient son pouvoir.
L'homme de pouvoir apprécie qu'on lui parle honnêtement, il aime ceux qui osent la vérité.
Un roi en colère peut envoyer quelqu'un à la mort. Un homme sage fait tout pour l'apaiser.
Lorsque se dessine un sourire sur le visage du roi, une promesse de vie est en train de naître : la bonté du chef est comme une pluie bienfaisante.

Proverbes, 16. 12-15

Sans direction un peuple court à la ruine et succombe ; la victoire tient au grand nombre de conseillers.

Proverbes, 11. 14

La bienveillance et la fidélité montent la garde auprès du roi ; la bonté et la vérité sont les sentinelles de son trône.

Proverbes, 20. 28

Quand un peuple se révolte, les chefs pullulent. Survient un seul homme, sage, intelligent, expérimenté, et voilà que la stabilité règne.

Proverbes, 28. 2

La pratique de la justice fait la grandeur d'une nation ; l'injustice provoque la honte des peuples.

Proverbes, 14. 34

Serviteurs, obéissez à vos maîtres d'ici-bas, avec respect et crainte, avec simplicité et de tout votre cœur ; et pas seulement sous leurs yeux, comme pour leur plaire ou les tromper, mais comme des serviteurs du Christ, qui font en toute sincérité la volonté de Dieu.

Servez-les en étant de bonne volonté, comme si vous serviez le Seigneur et non les hommes, sachant que chacun, esclave ou libre, recevra ultimement du Seigneur selon l'attitude qu'il aura manifestée. Quant à vous, maîtres et patrons, agissez de

même à l'égard de vos serviteurs ; abstenez-vous
de menaces et de pressions, sachant que leur
véritable Maître, comme le vôtre, est dans les cieux
et que devant lui il n'y a pas de considération de
personnes.

Éphésiens, 6. 5-9

Femmes, soyez respectueuses et soumises chacune
à votre mari, comme il convient face au Seigneur.
Maris, aimez et honorez chacun votre femme ; et
ne vous aigrissiez pas contre elle.
Enfants, obéissez en tout point à vos parents, car
cela est agréable dans le Seigneur.
Pères, n'exaspérez pas vos enfants, de peur qu'ils
ne se découragent.
Serviteurs, obéissez en tout à vos maîtres présents,
avec simplicité de cœur, dans la crainte du Seigneur.
Maîtres, accordez à vos serviteurs ce qui est juste
et équitable, sachant que, comme eux, vous avez
un Maître dans le ciel.

Colossiens, 3. 18 à 4. 1

LES PLUS BELLES PAROLES DE JÉSUS

Les Béatitudes

Heureux ceux qui se reconnaissent pauvres intérieurement ; le Royaume des cieux est à eux !
Heureux ceux qui pleurent ; Dieu les consolera !
Heureux ceux qui sont doux ; ils recevront la terre que Dieu a promise !
Heureux ceux qui ont faim et soif de vivre comme Dieu le demande ; Dieu exaucera leur désir !
Heureux ceux qui ont de la compassion pour autrui ; Dieu aura de la compassion pour eux !
Heureux ceux qui ont le cœur pur ; ils verront Dieu !
Heureux ceux qui créent la paix autour d'eux ; Dieu les adoptera comme ses fils !
Consolés ceux qu'on maltraite parce qu'ils agissent en qualité de croyants ; le Royaume des cieux est à eux !
Consolés serez-vous si les hommes vous insultent, vous persécutent et disent faussement toute sorte de mal parce que vous croyez en moi.
Consolez-vous, soyez heureux et dans la joie ; une grande récompense vous attend dans les cieux.

Car vous êtes le sel de l'humanité. Cependant si le sel perd son goût, comment pourrait-on le lui rendre ? Il n'est plus bon qu'à être foulé aux pieds. Vous êtes également la lumière du monde. Une ville construite sur une montagne ne peut pas être cachée. On n'allume pas une lampe pour l'enfermer ; on la place plutôt sur un support afin qu'elle éclaire tous ceux qui sont dans la pièce. Ainsi que votre lumière brille devant les hommes, afin qu'ils voient le bien que vous faites et qu'ils reconnaissent celui qui vous inspire, votre Père dans les cieux.

Matthieu, 5. 3-16

Le Sermon sur la montagne (extraits)

Je vous l'affirme : si vous n'êtes pas plus fidèles à Dieu que les maîtres religieux, vous ne pourrez pas entrer dans le Royaume des cieux.
Vous savez qu'il a été dit à nos ancêtres : « Tu ne commettras pas de meurtre. » Eh bien, moi je vous déclare que tout homme qui se met en colère contre son prochain mérite déjà de comparaître

devant le juge ; celui qui le traite d'imbécile ou d'idiot mérite d'être jeté dans le feu de l'enfer.

Si tu t'approches de l'autel pour présenter à Dieu ton offrande et que là tu te souviennes que ton frère a une raison de t'en vouloir, laisse tomber ton offrande et va d'abord te réconcilier avec ce frère. Ensuite, tu pourras légitimement présenter ton offrande.

Si tu es en désaccord sérieux avec quelqu'un, dépêche-toi de régler l'affaire avec lui et à l'amiable. Tu éviteras ainsi que ton adversaire ne te livre au juge, le juge à la police et que tu finisses en prison. Vous avez entendu qu'il a été dit : « Tu ne commettras pas d'adultère. » Or, moi je vous signale que tout homme qui regarde la femme d'un autre en la désirant a déjà commis l'adultère avec elle en lui-même.

Si donc c'est à cause de ton œil droit que tu tombes dans l'erreur, arrache-le et jette-le loin de toi : il vaut mieux pour toi perdre une seule partie de ton corps que de te perdre tout entier. Si c'est à cause de ta main droite que tu fautes, coupe-la et jette-la loin de toi : il vaut mieux pour toi perdre un seul membre de ton corps que d'aller tout entier en enfer.

Il a été dit aussi : « Celui qui renvoie sa femme doit lui donner une attestation de divorce. » Eh bien, moi je vous le déclare : tout homme qui renvoie sa femme, alors qu'elle n'a pas été infidèle, lui fait commettre un adultère si elle se remarie ; et celui qui épouse une femme renvoyée par un autre commet aussi un adultère.

Vous avez encore entendu qu'il a été dit à nos ancêtres : « Ne romps pas ton serment, mais accomplis ce que tu as promis devant le Seigneur. » Eh bien, moi je vous demande de ne faire aucun serment : n'en faites ni par le ciel, car c'est le trône de Dieu ; ni par la terre, car elle est un escabeau sous ses pieds ; ni par Jérusalem, car elle est la ville du grand Roi.

« Ne jure pas non plus par ta tête, car tu ne peux rendre blanc ou noir un seul cheveu. » Par contre, si c'est oui, dites « oui », si c'est non, dites « non », tout simplement ; ce que l'on ajoute en plus vient du Mauvais.

Vous avez entendu qu'il a été dit : « œil pour œil et dent pour dent. » Moi je vous dis plutôt de ne pas vous venger de celui qui vous fait du mal. Si quelqu'un te gifle sur la joue droite, laisse-le te gifler aussi sur la joue gauche.

Si quelqu'un veut te faire un procès pour te prendre
ta chemise, abandonne-lui aussi ton manteau.
Donne à celui qui te demande quelque chose ; ne
refuse pas de prêter à celui qui veut t'emprunter.
Vous avez entendu qu'il a été dit : « Tu dois aimer
ton prochain et haïr ton ennemi. » Moi je vous dis :
aimez vos ennemis et priez pour ceux qui vous
persécutent.

Ainsi vous deviendrez les fils de votre Père qui
est dans les cieux. Car il fait lever son soleil aussi
bien sur les méchants que sur les bons, il fait
pleuvoir sur ceux qui lui sont fidèles comme sur
ceux qui ne le sont pas.

Si vous aimez seulement ceux qui vous aiment,
pourquoi vous attendre à recevoir une récompense
de Dieu ? Même les incroyants en font autant !

Si vous ne saluez que vos frères, faites-vous là quelque chose d'extraordinaire ? Les païens en font
autant !

Soyez donc parfaits, tout comme votre Père qui
est au ciel est parfait.

Gardez-vous d'accomplir vos devoirs religieux en
public, pour que tout le monde vous remarque.
Sinon, vous ne recevrez pas de récompense de
votre Père qui est dans les cieux.

Quand donc tu donnes quelque chose à un pauvre, n'attire pas bruyamment l'attention sur toi, comme le font les hypocrites dans les synagogues et dans les rues : ils agissent ainsi pour être admirés par les hommes. Je vous le déclare : ils ont déjà leur récompense. Mais quand ta main droite donne quelque chose à un pauvre, que ta main gauche l'ignore.

Ainsi, il faut que ce don reste secret ; Dieu, ton Père, qui voit ce que tu fais en secret, te récompensera. Quand vous priez, ne soyez pas comme les hypocrites : ils aiment à prier debout dans les synagogues et au coin des rues pour que tout le monde les voie. Mais toi, lorsque tu veux prier, entre dans ta chambre, ferme la porte et prie ton Père qui est là, dans cet endroit secret ; et ton Père, qui voit ce que tu fais en secret, te récompensera.

Quand vous priez, ne répétez pas sans fin les mêmes choses comme les païens : ils s'imaginent que Dieu les exaucera s'ils parlent beaucoup.

Ne les imitez pas, car Dieu, votre Père, sait déjà de quoi vous avez besoin avant même que vous le lui demandiez.

Voici comment vous devez prier :
    « Notre Père qui es dans les cieux,
    que ton Nom soit sanctifié,
    que ton Règne vienne,
    que ta Volonté soit faite sur la terre comme au
    ciel.
    Donne-nous aujourd'hui notre pain quotidien.
    Remets-nous nos dettes comme nous-mêmes
    avons remis à nos débiteurs.
    Et ne nous soumets pas à la tentation ;
    mais délivre-nous du Mauvais. »

Si vous pardonnez aux autres le mal qu'ils vous ont fait, votre Père qui est au ciel vous pardonnera aussi. Mais si vous ne pardonnez pas, votre Père ne vous pardonnera pas non plus.
Ne vous amassez pas des richesses dans ce monde, où les vers et la rouille détruisent, où les cambrioleurs forcent les serrures pour voler.
Amassez-vous plutôt des richesses dans le ciel, où il n'y a ni vers ni rouille pour détruire, ni cambrioleurs pour voler.
Car votre cœur sera toujours là où sont vos richesses.
Les yeux sont la lampe du corps : si tes yeux sont

en bon état, tout ton corps est éclairé ; par contre, si tes yeux sont malades, tout ton corps est dans l'obscurité.

Personne ne peut servir deux maîtres : ou bien il haïra le premier et aimera le second ; ou bien il s'attachera au premier et méprisera le second. Vous ne pouvez pas servir à la fois Dieu et l'argent.

Voilà pourquoi je vous conseille ceci : Ne vous inquiétez pas au sujet de la nourriture et de la boisson dont vous avez besoin pour vivre, pas plus des vêtements dont vous avez besoin pour votre corps. La vie est plus importante que la nourriture, et le corps plus important que les vêtements, n'est-ce pas ?

Regardez les oiseaux : ils ne sèment ni ne moissonnent, ils n'amassent pas de récoltes dans des greniers, pourtant votre Père qui est au ciel les nourrit ! Ne valez-vous pas beaucoup plus que ces oiseaux ?

Qui d'entre vous prolonge un peu la durée de sa vie par le souci qu'il se fait ?

Et pourquoi vous inquiétez-vous au sujet des vêtements ?

Observez comment poussent les fleurs des champs : elles ne travaillent pas, elles ne se font pas de vêtements. Pourtant, je vous le dis, même Salomon, avec toute sa richesse et dans toute sa gloire, n'a pas eu de vêtements aussi magnifiques qu'une seule de ces fleurs.

Dieu habille ainsi l'herbe des champs qui est là, aujourd'hui, et qui sera brûlée demain : à plus forte raison ne vous habillera-t-il pas vous aussi ? Comme votre confiance en lui est faible !

Ne vous inquiétez donc pas en murmurant : « Qu'allons-nous manger ? Qu'allons-nous boire ? Qu'allons-nous nous mettre sur le dos ? » Ce sont les païens qui recherchent sans arrêt tout cela. Souvenez-vous que votre Père qui est au ciel sait que vous en avez besoin.

Préoccupez-vous avant tout du Royaume de Dieu et de la conduite de vie qu'il attend de vous, et Dieu vous accordera aussi tout le reste. Ne vous inquiétez donc pas du lendemain : le lendemain se souciera de lui-même. À chaque jour suffit sa peine.

Ne portez de jugement contre personne ; et Dieu ne vous jugera. En vérité, Dieu vous jugera comme vous jugez les autres ; il vous mesurera avec la même mesure que vous employez à leur égard. Pourquoi regardes-tu le brin de paille qui est dans l'œil de ton frère, alors que tu ne remarques pas la poutre qui est dans le tien ?

Comment peux-tu espérer enlever la paille de son œil alors que tu as laissé la poutre dans le tien ? Hypocrite, enlève d'abord la poutre de ton œil et tu verras assez clair pour enlever la paille de l'œil de ton frère.

Demandez et vous recevrez ; cherchez et vous trouverez ; frappez et l'on vous ouvrira la porte. Celui qui demande reçoit, celui qui cherche trouve et on ouvre à qui frappe.

Y a-t-il quelqu'un parmi vous qui donne à son fils une pierre si celui-ci réclame du pain ? Lui donne-t-il un serpent s'il demande un poisson ? Tout mauvais que vous êtes, vous savez donner de bonnes choses à vos enfants ; à plus forte raison, votre Père qui est dans les cieux donnera-t-il de bonnes choses à ceux qui les lui demandent !

Faites pour les autres tout ce que vous voulez qu'ils fassent pour vous.

Gardez-vous des faux prophètes. Ils viennent à vous déguisés en brebis, mais au-dedans ce sont des loups féroces. Vous les reconnaîtrez à leur conduite. On ne cueille pas des raisins sur des buissons d'épines, ni des figues sur des chardons.

Un bon arbre produit de bons fruits et un arbre malade de mauvais fruits.

Tout arbre qui ne produit pas de bons fruits est coupé, puis jeté au feu.

Ce ne sont pas ceux qui me disent : « Seigneur, Seigneur », qui entreront dans le Royaume des cieux, mais seulement ceux qui font la volonté de mon Père.

Au jour du Jugement, beaucoup me diront : « Seigneur, Seigneur, c'est en ton nom que nous avons été prophètes ; c'est en ton nom que nous avons chassé des esprits mauvais ; c'est en ton nom que nous avons accompli de nombreux miracles. Ne le sais-tu pas ? »

Alors je leur déclarerai : « Je ne vous ai jamais connus ; allez-vous-en loin de moi, vous qui commettez le mal ! »

Ainsi, quiconque écoute ce que je viens de dire et le met en pratique sera comme un homme intelligent qui a bâti sa maison sur le roc.

La pluie est tombée, les rivières ont débordé, la tempête s'est abattue sur cette maison, mais elle ne s'est pas écroulée, parce que ses fondations étaient sur le roc.

Mais quiconque écoute ce que je viens de dire et

ne le met pas en pratique sera comme un homme
insensé qui a bâti sa maison sur le sable.
La pluie est tombée, les rivières ont débordé, la
tempête s'est abattue sur cette maison et elle s'est
écroulée : sa ruine a été complète.

Matthieu, extrait des chapitres 6 et 7

Il n'y a pas de plus grand amour que de donner
sa vie pour ses amis.
Vous êtes mes amis, si vous faites ce que je vous
commande.
Je ne vous appelle plus serviteurs, parce que le
serviteur ne sait pas ce que fait son maître ; mais
je vous appelle amis, parce que je vous ai fait
connaître tout ce que je sais.

Jean, 15. 13-15

Écoutez et comprenez : ce n'est pas ce qui entre
dans le corps par la bouche qui rend l'homme
impur et imparfait, mais c'est ce qui sort de son cœur
par sa bouche ; voilà ce qui manifeste son impureté
et son imperfection. Car c'est du cœur que viennent
les mauvaises pensées, meurtres, adultères, prostitu-
tions, vols, faux témoignages, blasphèmes…

Matthieu, 15. 11 et 19

Que servira-t-il à un homme de gagner le monde
entier s'il perd son âme ? Ou que donnera un
homme en échange de cette âme ?

Matthieu, 16. 26

Vous savez que les chefs des peuples les com-
mandent en maîtres et que les grands personna-
ges leur font sentir leur pouvoir. Qu'il n'en soit
pas de même entre vous. Au contraire, si l'un de
vous veut être grand, qu'il devienne votre serviteur,
et si l'un de vous veut être le premier, qu'il accepte
d'être votre esclave.

Matthieu, 20. 25-27

Tu dois aimer le Seigneur ton Dieu de tout ton
cœur, de toute ton âme et de toute ton intelligence.
C'est là le commandement le plus grand qui soit.
Et voici le second commandement, qui est d'une
importance semblable : Tu dois aimer ton prochain
comme toi-même.

Matthieu, 22. 37-39

Qui s'élèvera sera abaissé ; qui s'abaissera sera
élevé.

Matthieu, 23. 12

Tous ceux qui vivent par l'épée périront par l'épée !

Matthieu, 26. 52

Si les membres d'un État luttent les uns contre les autres, cet État ne peut se maintenir longtemps ; et si les membres d'une même famille se battent les uns contre les autres, cette famille ne pourra jamais se maintenir.

Marc, 4. 24-25

Nul n'est prophète dans son pays ou dans sa patrie ; il est méprisé même des siens.

Marc, 6. 4

Tout est possible à celui qui croit !

Marc, 9. 23

Rendez à César ce qui est à César et à Dieu ce qui est à Dieu !

Marc, 12. 17

L'esprit est bien disposé mais la nature humaine est faible.

Marc, 14. 38

L'homme ne vivra pas de pain seulement.

Luc, 4. 4

Gardez-vous sérieusement de toute cupidité, de toute avarice et de toute rapacité ; car même dans l'abondance et la profusion, la vie d'un homme ne dépend pas de ce qu'il possède.

Luc, 12. 15

Ce qui est impossible aux hommes est possible à Dieu.

Luc, 18. 27

Vous doutez de moi lorsque je vous parle des choses terrestres ; comment donc auriez-vous foi en moi quand je vous parle des choses célestes ? Écoutez ceci : personne n'est jamais monté au ciel, excepté le Fils de l'homme qui est descendu du ciel !... Dieu a aimé le monde au point qu'il a offert son Fils unique, afin que quiconque croit en lui ne soit pas perdu mais qu'il reçoive la vie éternelle.

Dieu n'a pas envoyé son Fils dans le monde pour le juger et le condamner, mais pour le sauver par lui.

Celui qui croit au Fils n'est pas condamné ; mais celui qui ne croit pas l'est déjà, et ce parce qu'il n'a pas cru au Fils unique de Dieu.

Voici comment la condamnation devient manifeste : la lumière est venue dans le monde, mais les hommes préfèrent l'obscurité à la lumière, parce qu'ils aiment mal agir. En réalité, qui fait le mal affirme détester la lumière et préfère s'en écarter : il redoute que ses mauvaises actions apparaissent au grand jour. Par contre, qui obéit à la vérité vient à la lumière : ses actions sont accomplies clairement et en harmonie avec Dieu.

Jean, 3. 12-21

Quiconque boit de l'eau de ce puits aura de nouveau soif ; mais celui qui boira de l'eau que je lui donnerai n'aura plus jamais soif : cette eau deviendra en lui une source vive d'où jaillira la vie éternelle.

Jean, 4. 13-14

Je suis identique au bon berger, celui qui donne sa vie pour ses brebis. Mes brebis entendent et reconnaissent ma voix. Moi, je les connais, et

elles me suivent. Je leur donne la vie éternelle ;
elles ne périront pas et nul ne me les volera.

Jean, 10. 11, 27-28

Celui qui aime sa vie plus que tout la perdra,
mais celui qui refuse de s'y attacher dans ce
monde la conservera pour la vie éternelle.

Jean, 12. 25

Vous m'appelez « Maître » et « Seigneur », et vous
avez raison puisque je le suis !
Cependant, si moi, le Seigneur et le Maître, je vous
ai lavé les pieds comme je viens de le faire, c'est
pour que vous en fassiez autant entre vous. Je
vous ai donné ce geste en exemple pour que vous
agissiez comme je l'ai fait à votre égard. Oui, je
vous l'affirme avec fermeté : un serviteur ne doit
pas devenir plus grand que son maître, pas plus
qu'un envoyé ne doit s'élever au-dessus de celui
qui l'envoie. Maintenant vous le savez puisque je
vous l'ai dit ! Vous serez heureux si vous le pra-
tiquez.

Jean, 13. 13-17

DIEU ET L'HOMME

La voie de Dieu et sa manière d'agir sont un rempart pour l'homme honnête,
Pour les mauvaises gens, une ruine ; un sujet d'effroi pour ceux qui font le mal.

Proverbes, 10. 29

Les hommes forment des projets, mais Dieu a le dernier mot.

Proverbes, 16. 1

L'homme élabore des plans et choisit son chemin, Dieu dispose et en dirige la réalisation.

Proverbes, 16. 9

N'envie pas intérieurement le sort des méchants, mais sois plutôt soumis à Dieu.
Alors tu auras un avenir ; ton espérance ne sera pas déçue.

Proverbes, 23. 17-18

Mon fils, accepte Dieu comme éducateur et ne
dédaigne pas ses reproches.
Il réprimande celui qu'il aime, tout comme un père
le fait d'un fils qu'il chérit.

Proverbes, 3. 11-12

Les méchants rendent leurs offrandes d'autant
plus détestables à Dieu qu'ils les lui offrent avec
de mauvaises intentions.

Proverbes, 21. 27

On jette les dés pour connaître l'avenir, mais c'est
finalement le Seigneur qui détermine la réponse.

Proverbes, 16. 33

Le riche et le pauvre ont une chose en commun :
le Seigneur a fait l'un comme l'autre.

Proverbes, 22. 2

Le Seigneur déteste les mauvaises intentions.
Seules les paroles inspirées par la bonté sont irré-
prochables.

Proverbes, 15. 26

La conscience est la lampe que le Seigneur donne à l'homme ; elle éclaire jusqu'aux profondeurs de son être.

Proverbes, 20. 27

Certes, on équipe des chevaux pour le jour du combat, mais c'est le Seigneur qui donne la victoire.

Proverbes, 21. 31

Je te demande deux choses, Seigneur :
Ne me les refuse pas, avant que je meure !
Éloigne de moi la vanité et le mensonge ;
Ne me donne ni pauvreté, ni richesse,
Accorde-moi le pain dont j'ai juste besoin,
De peur qu'étant rassasié, je ne te renie
Et ne demande : Qui est l'Éternel ?
Ou qu'étant dans la pauvreté, je ne commette un vol
Et ne porte ainsi atteinte à ton nom.

Proverbes, 30. 7-9

L'or et l'argent sont testés par le feu ; par contre c'est le Seigneur qui éprouve la valeur des hommes.

Proverbes, 19. 3

Chacun pense toujours agir avec droiture, mais le Seigneur examine le fond du cœur.

Proverbes, 21. 2

Voici ce que j'ai découvert : Dieu a fait les hommes droits, puis les hommes ont inventé les détours !

Ecclésiaste, 7. 29

J'en prends aujourd'hui le ciel et la terre à témoin : j'ai placé devant tout homme la vie et la mort, la bénédiction et la malédiction. Toi, choisis la vie, afin que tu vives, et ta descendance à ta suite !

Deutéronome, 30. 19

J'ai la certitude que rien ne peut nous séparer de l'amour divin : ni la mort, ni la vie, ni les anges, ni les puissances célestes, ni le présent, ni l'avenir, ni les forces d'en haut, ni celles d'en bas, ni aucune autre chose créée ; telle est ma conviction ! Rien ne pourra jamais nous séparer de l'amour que Dieu nous a manifesté en Jésus-Christ notre Seigneur.

Romains, 8. 38-39

Fais de Dieu tes délices ; il t'offrira ce que ton cœur souhaite.

Psaumes, 37. 4

Non, la main de Dieu n'est pas trop courte pour sauver, ni son oreille trop dure pour entendre. Mais ce sont vos fautes qui ont creusé un abîme entre vous et lui. Vos erreurs ont fait qu'il vous cache sa face et refuse de vous entendre.

Aussi le droit divin reste loin de nous. Sa justice ne nous atteint pas. Nous attendions la lumière et nous récoltons les ténèbres ; nous espérions la clarté, et nous devons marcher dans l'obscurité.

Nous tâtonnons comme des aveugles cherchant un mur où nous appuyer. Nous trébuchons en plein midi comme au crépuscule ; bien portants nous sommes comme morts.

Nous grognons tous comme des ours : nous attendons le jugement et le salut, et rien n'arrive ! Car nombreux sont nos crimes contre Dieu, nos fautes témoignent contre nous. Oui, nos crimes sont présents : révolte et reniement de Dieu, refus de le suivre, violence et mensonge.

Selon nos actions, Dieu rétribue : fureur pour les adversaires, châtiment pour les ennemis !

Finira-t-on par respecter le nom de Dieu depuis l'occident, et depuis le levant sa gloire.
Or voilà que renaît tout espoir : un sauveur et rédempteur pour ceux qui se détournent de leur crime.

Isaïe, 59 (extraits)

Voici ce dont je veux me souvenir au plus profond de moi, et ce que j'espère intimement :
C'est que la bienveillance de Dieu n'est pas épuisée,
Et que ses compassions ne sont pas arrivées à leur terme ;
Au contraire, elles se renouvellent chaque matin.
Grande est sa fidélité !
Il est mon trésor ; voilà pourquoi je m'attends à lui.
L'Éternel est bon pour qui espère en lui, pour qui le cherche sincèrement.

Jérémie, 3. 21-25 (Lamentations)

Dieu ne s'arrête pas à ce qui impressionne les hommes. L'homme regarde ce qui frappe les yeux, mais Dieu regarde au cœur.

1 Samuel, 16. 7

Mes amis, ne commettez pas de vol, n'usez ni de mensonge ni de fraude à l'encontre de vos concitoyens.

Ne prononcez pas de serments en vous servant de mon nom ; vous me déshonoreriez par une telle pratique. Ne suis-je pas le Seigneur votre Dieu ?

N'instrumentalisez personne et ne dérobez rien ; ne remettez pas au lendemain le salaire que vous devez à l'ouvrier.

Ne vous moquez pas d'un sourd, ne mettez pas d'obstacle devant un aveugle, n'humiliez pas le handicapé. Montrez par votre comportement que vous me respectez.

Ne tordez pas les règles dans vos jugements. Ainsi, n'avantagez pas le petit et ne favorisez pas le grand ; par contre, rendez justice de façon équitable envers tous.

N'alimentez pas la médisance et ne répandez pas les insinuations calomnieuses sur vos concitoyens. Ne portez pas contre votre prochain de fausses accusations qui le fassent tomber, voire condamner à mort.

Dépossédez-vous de pensée haineuse contre un frère ; cependant, n'hésitez pas à le réprimander si nécessaire, afin de le libérer d'une erreur et de ne pas en être complice.

Retenez-vous de vous venger et ne gardez pas de
rancune contre quiconque. Chacun de vous doit
aimer son prochain comme lui-même. Voilà ce
que je vous recommande, moi, votre Seigneur.

Lévitique, 19. 11-18

L'homme ne vivra pas de pain seulement, mais de
toute parole qui jaillit de la bouche de son Dieu.

Deutéronome, 8. 3

Heureux l'homme qui n'écoute pas le conseil des
gens sans foi ni loi,
Qui ne s'arrête pas sur le chemin de ceux qui se
détournent de Dieu,
Et qui ne s'assied pas avec ceux qui se moquent
de tout !
Heureux qui aime les enseignements du Seigneur ;
Et qui les médite jour et nuit.
Il est comme un arbre planté près d'un ruisseau :
Il produit ses fruits quand la belle saison vient,
Et de son feuillage verdoyant émane la fraîcheur.
Tout ce qu'entreprend un pareil homme lui réussit.
Mais ce n'est pas le cas des gens sans foi ni loi :
Ceux-là sont comme brins de paille que le vent
disperse.

Dieu n'ignore pas la conduite des gens fidèles, et
il les honore.
Par contre, celle des gens sans foi ni loi aboutit au
désastre.

Psaumes, 1

Concernant les croyants qui ont recours à toi, qu'ils
soient dans la joie,
Qu'ils soient toujours dans l'allégresse ;
Qu'ils chantent la victoire que tu leur accordes, ces
gens qui t'aiment !
N'es-tu pas un abri pour eux ? Une sécurité ?
En effet, Seigneur, tu fais du bien aux fidèles ;
Ta bonté et ta bienveillance sont un bouclier qui
les protège.

Psaumes, 5. 12-13

Quand j'admire le ciel, ton ouvrage,
La lune et les étoiles, que tu y as fixées,
Je médite et me demande :
L'homme a-t-il autant d'importance pour que tu
penses encore à lui ?
Un être humain a-t-il assez de valeur pour que tu
t'occupes de lui ?

Or, justement, voilà que tu l'as fait de peu infé-
rieur à toi,
Et tu le couronnes de gloire et d'honneur.
Tu lui donnes de régner sur tout ce que tu as créé :
Tu as tout placé sous ses pieds,
Moutons, chèvres et bœufs, bêtes sauvages, oiseaux,
poissons,
Et tout ce qui sillonne les pistes des mondes.

Psaumes, 8. 4-10

De nombreux malheurs ne sont pas épargnés à
l'homme juste,
Mais de tous, Dieu le délivre.

Psaumes, 34. 20

Autant les cieux sont élevés au-dessus de la terre,
Autant la bienveillance du Créateur est efficace
pour ceux qui le respectent ;
Autant l'orient est éloigné de l'occident,
Autant il éloigne de nous nos erreurs et nos
errances.
De même qu'un père a compassion de ses fils,
L'Éternel Dieu a pitié de ceux qui le craignent et
l'honorent.

Plus que quiconque, il sait de quoi nous sommes faits,
Il n'oublie pas que nous sommes poussière.
Que sont donc les jours de l'homme ?
Il est comme l'herbe ; il fleurit comme la fleur des champs.
Mais dès qu'un vent chaud passe sur elle, elle flétrit,
Et elle s'efface du lieu où elle était.
Par contre, la bienveillance de Dieu court d'une éternité à l'autre
Pour ceux qui croient en lui, le respectent et l'honorent.

Psaumes, 103. 11-13

Elle a du prix aux yeux de Dieu,
La mort de ses fidèles.

Psaumes, 116. 15

Sonde-moi, ô Dieu, et analyse mon cœur !
Éprouve-moi, et scrute mes préoccupations !
Vérifie si je suis sur une mauvaise voie,
Et conduis-moi sur la bonne, celle de l'éternité.

Psaumes, 139. 23-24

Heureux l'homme que Dieu reprend !
Il le fait avec bienveillance.
Ne refuse pas la correction du Tout-Puissant.
Car c'est lui qui fait la blessure et c'est aussi lui qui
la panse ;
S'il blesse, ses mains guérissent.

Job, 5. 17-18

Pourquoi donnes-tu tant d'importance à l'homme ?
Oui, pourquoi le prends-tu à ce point au sérieux ?
Pourquoi l'inspectes-tu jour après jour ?
Pourquoi à chaque instant le mets-tu sur le gril ?
Je voudrais que tu cesses de t'occuper de moi,
Que tu me laisses avaler ma salive.

Job, 7. 17-19

Naturellement, je n'ignore pas cette conclusion :
Il n'est pas possible d'avoir raison contre Dieu !
Celui qui oserait discuter avec lui,
N'aurait de sa part aucune réponse, pas même une
sur mille.
Le Dieu créateur est bien trop puissant et trop
intelligent
Pour qu'on lui tienne tête et qu'on s'en sorte
indemne.

Il déplace les montagnes, sans qu'elles se rendent compte

Que c'est dans sa colère qu'il les a ainsi bouleversées,

Il fait trembler la terre ; il ébranle les piliers qui la maintiennent

S'il veut, il peut ordonner au soleil de rester couché

Et il peut enfermer les étoiles dans un ciel obscur.

Sans le secours de quiconque, il déploie les espaces célestes,

Et il surfe sur les vagues écumantes des mers.

Il a dessiné les constellations : la Grande Ourse, Orion, les Pléiades.

Ce qu'il fait est grandiose, illimité, infini.

On ne peut pas même énumérer ses actes prodigieux.

Job, 9. 2-10

Ô homme !

Peux-tu discerner la profondeur de Dieu ?

Peux-tu saisir sa perfection ?

Elle est plus élevée que le ciel ; que veux-tu faire ?

Elle est plus profonde que le monde des enfers ;

Que crois-tu en savoir ?

Elle est plus vaste que la terre, et plus large que la mer.

Si Dieu, en passant, arrêtait dans sa course un homme coupable

et s'il l'appelait à se justifier devant son tribunal, qui pourrait en être scandalisé jusqu'à s'y opposer ?

Car Dieu repère bien les gens insignifiants

Et sans effort, il voit très vite où est le mal.

Qu'espérer de l'homme face à lui ?

L'idiot sera intelligent lorsque l'âne sauvage naîtra domestiqué !

Mais toi, ô homme, tu dois tendre ton cœur vers Dieu.

Si tes mains sont souillées par tes mauvaises actions, nettoie-les !

Ne laisse plus de place au mal en toi.

Alors tu pourras te présenter sans tache, la tête haute,

Plus rien ne te fera chanceler ; plus rien ne t'épouvantera.

Enfin, tu seras délivré du souvenir de tes malheurs présents.

Ta vie sera plus radieuse encore que le jour en plein midi ;

L'obscurité sera métamorphosée en matin clair.

Job, 11. 7-17

Si Dieu n'a pas confiance en ses saints,
Si les cieux ne sont pas purs devant ses yeux,
À combien plus forte raison est-il méfiant
À l'égard de l'homme, vil et corrompu,
Cet homme qui boit la méchanceté comme on
boit de l'eau !

Job, 15. 15-16

Un homme peut-il être utile à Dieu ?
Eh non ! Même le sage n'est utile qu'à lui-même.

Job, 22. 2

Réconcilie-toi avec Dieu, tu recevras la paix,
Et le bonheur te sera rendu.
Reçois l'enseignement qu'il te délivre,
Prends à cœur ses leçons.
Reviens à lui, il te rétablira ;
Efface de ta maison ce qui est mauvais.
Jette dans la poussière ton or,
Abandonne-le dans les pierres du torrent,
C'est lui, le Dieu de l'Univers, qui sera ton or.

Tu trouveras en lui ton plaisir ;
Tu lèveras vers sa face un visage confiant.
Il ne manquera pas d'écouter ta prière,
Quoi que tu décides, cela réussira,
Tes sentiers seront éclairés de sa présence.
Puisqu'il extirpe des ténèbres les hommes inno-
cents,
Tu seras délivré si tu gardes tes mains et ton cœur
purs.

Job, 22. 21-30

Dieu se montre sublime par sa puissance ;
Qui pourrait enseigner comme il le fait ?
Qui lui dicte ses voies ?
Qui peut dire : Là, tu as mal fait ?
N'oublie pas d'exalter son œuvre,
La création que les hommes célèbrent sans admi-
ration.
Tout être humain la contemple,
Tout homme la voit de loin.
Dieu est grand, mais nous ne savons pas le
reconnaître ;
Il nous échappe !

Job, 36. 22-25

L'Éternel Dieu dit à Job dans la tourmente :
Es-tu celui qui obscurcit mes propos
Qui brouille mes actions
Par des paroles vides de connaissance ?
Si tu sais tout, dis-moi : Où étais-tu quand je fondais
la terre ?
Annonce-le, puisque tu es si intelligent !
Qui en a déterminé les mesures du monde, le
sais-tu ?
En quoi ses bases sont-elles ancrées ?
Qui en a posé la pierre angulaire,
Alors que les étoiles du matin éclataient de triomphe,
Et que tous les anges lançaient des acclamations ?
Qui a limité la mer avec des barrières,
Lorsqu'elle s'élança pour jaillir de mes ordres ;
Je lui ai offert les nuages en parure,
Je l'ai habillée de brume au matin ;
En ce temps-là, je lui ai fixé son rôle,
Et j'ai installé des verrous et des portes ;
Je lui ai dit : Jusqu'ici, et pas au-delà !
C'est ici que s'arrêtera l'orgueil de tes flots ?
Et toi, ô homme, depuis que tu existes,
As-tu donné des ordres au matin ?
As-tu programmé sa place à l'aurore,
Pour qu'elle réchauffe les bords de la terre ?

Elle arrive et teint d'or l'argile qui reçoit sa chaleur,
Et se présente comme parée de lumière.
Et toi ? T'es-tu promené aux sources de la mer ?
As-tu visité les profondeurs de l'océan ?
Les frontières de la mort t'ont-elles été dévoilées ?
As-tu analysé l'immensité de la terre ?
Allez ! Parle, si tu es si malin.
Où est le chemin qui mène où réside la lumière ?
Et les ténèbres, connais-tu ses demeures
Pour que tu puisses les saisir à leur origine
Et comprendre les sentiers de ses actions ?
Tu le sais ! Tu étais donc déjà là !
Je pourrais être impressionné par le nombre de tes
années !
Mais en vérité, es-tu parvenu aux réserves de neige ?
As-tu vu les provisions de grêle,
Tout ce que j'ai mis de côté pour un temps de
détresse,
Pour un jour de bataille, pour un épisode de
guerre ?
Par quel mystère la lumière se divise-t-elle,
Et par quel chemin le vent d'orient se répand-il
sur terre ?
Qui a frayé un passage aux averses,
Qui a dessiné le chemin de l'éclair et du tonnerre,

Pour faire pleuvoir même sur une terre sans
hommes,
Sur un désert où il n'y a personne,
Pour abreuver des endroits dévastés et ravagés,
Et y faire venir l'herbe ?
La pluie a-t-elle un père ?
Qui donc engendre la rosée ?
La glace a-t-elle une mère,
Et qui fait naître le givre du ciel ?
Peux-tu nouer les filaments des Pléiades
Dénouer les cordages d'Orion ?
Fais-tu jaillir les constellations,
Donnes-tu vie aux signes du zodiaque,
Et conduis-tu la Grande Ourse avec ses petits ?
Connais-tu les lois du ciel ?
Fais-tu attention à la terre, gères-tu son organisation ?
Parles-tu aux nuages,
Pour que des torrents d'eaux en coulent ?
Envoies-tu les éclairs avec ton arc ?
Te disent-ils : Nous sommes ici pour toi ?
Qui a pourvu l'ibis de sagesse,
Et le coq d'intelligence ?
Quel est l'expert qui peut compter les nuages
Qui peut vider les cieux de toutes ses eaux,
Pour que la poussière se fige,

Et que les mottes de terre s'agglutinent ensemble ?
Chasses-tu pour la lionne,
Et apaises-tu la faim de ses lionceaux ?
Prépares-tu au corbeau sa nourriture,
Quand ses petits crient vers le ciel ?
Connais-tu la saison où les bouquetins font leurs petits ?
Observes-tu les biches quand elles mettent bas ?
As-tu compté les mois de gestation,
Et connais-tu le moment des naissances ?
Voici, elles se baissent pour donner le jour à leurs petits,
Puis sont délivrées de leurs douleurs.
Leurs progénitures prennent de la vigueur et grandissent au grand air,
Devenues adultes, elles s'éloignent et ne reviennent plus auprès de leurs mères.
Le savais-tu ?
Qui a mis l'âne sauvage en liberté,
Et qui lui a donné la steppe comme habitation ?
La terre aride est sa demeure.
Pourtant, il se rit du tumulte de la ville,
Il ne subit pas les cris d'un charretier.
Libre, il parcourt les montagnes pour trouver sa pâture,

Il broute tout ce qui est vert...
Est-ce grâce à ton intelligence que l'épervier prend son vol
Et qu'il étend ses ailes vers le soleil ?
Est-ce par ta volonté que l'aigle s'élève
Et qu'il place son nid sur les hauteurs ?...
L'Éternel dit encore à Job :
Le discutailleur va-t-il me faire un procès ?
Celui qui conteste avec Dieu a-t-il une réponse à tout cela ?

Job répondit à l'Éternel :
Voici : je suis peu de chose ;
que te répliquerais-je ?
Je mets la main sur ma bouche.
J'aurai mieux fait de me taire !

Job, 38 et 39 (extraits)

Le Seigneur apprécie-t-il autant des sacrifices d'animaux que l'obéissance à ses commandements ? Aucunement ! Pour lui, l'obéissance et la docilité sont préférables aux sacrifices et aux holocaustes des bêtes les plus grasses.

1 Samuel, 15. 22

Ce n'est ni par l'épée ni par la lance que Dieu sauve.

1 Samuel, 17. 47

Il n'est pas juste que j'offre à mon Dieu des sacrifices qui ne me coûtent rien !

2 Samuel, 24. 24

Avant que soient fondées les montagnes,
Avant même que l'univers ait vu le jour,
De toute éternité, tu es Dieu, et tu le seras éternellement.

Psaumes, 90. 2

Déclaration solennelle du Seigneur :
« Malédiction à celui qui se détourne de moi,
Qui ne place sa confiance qu'en l'homme
Et qui cherche sa force dans les ressources humaines.
Il subira le sort d'un buisson malingre dans la steppe.
Aucune chance pour lui de voir surgir l'épanouissement.
Il restera là, parmi les graviers du désert,
Sur cette terre stérile que personne ne foule.

Bénédiction à celui qui met sa confiance en moi
Et recherche en moi sa sécurité.
Il sera comme un arbre planté au bord de l'eau,
Et dont les racines s'étendent vers le ruisseau tout
proche.
Il n'a rien à craindre quand claque la chaleur,
Son feuillage reste vert.
Même en temps de canicule, il est serein ;
Il ne cesse de porter des fruits. »

Jérémie, 17. 5-8

Je suis Dieu, votre Seigneur ! Et je forme à votre
intention des projets ; des projets qui ne sont pas
redoutables puisque j'envisage pour vous des
projets de bonheur. De fait, je veux vous offrir un
avenir à espérer.
Si, de votre côté, vous m'interpellez et me priez,
je vous écouterai volontiers ! Si vous vous tour-
nez vers moi, vous me trouverez sans peine. Je
suis Dieu et votre Seigneur. À ce titre je vous le
déclare : si vous me cherchez de tout votre cœur,
je me laisserai trouver par vous.

Jérémie, 29. 11-12

Déclaration du Seigneur : Je vous transplanterai un cœur nouveau, je déposerai en vous un esprit nouveau. J'enlèverai votre cœur dur et insensible comme la pierre et je le remplacerai par un cœur attentif, tendre et ouvert.

Je placerai en vous mon Esprit. Vous serez ainsi capable de saisir mes lois et de les respecter ; vous saurez mettre en pratique mes commandements. C'est ainsi que vous serez enfin mon peuple et je serai votre Dieu, sur la terre promise à vos ancêtres et qui sera vôtre.

Ézéchiel, 36. 26-28

Il vous a été montré la bonne conduite que le Seigneur attend des hommes : il exige de vous de respecter les droits de tout homme, d'aimer chacun et d'agir avec bonté à l'égard de tous. Il espère que vous suiviez avec persévérance le chemin qu'il vous indique.

Michée, 6. 8

Comme la pluie et la neige descendent des cieux
Et n'y retournent pas
Sans avoir arrosé, fécondé la terre
Et fait germer toutes espèces de plantes,

Sans avoir produit de la semence au semeur
Et du pain à celui qui mange,
Ainsi en est-il de ma parole prononcée :
Elle ne revient pas à moi sans effet,
Sans avoir exécuté ma volonté
Et mené à bien ce pour quoi je l'ai énoncée.

Isaïe, 55. 10-11

Mettez-moi à l'épreuve, dit le Seigneur.
Et vous verrez si je n'ouvre pas pour vous
Les écluses du ciel ;
Et vous vérifierez si je ne déverse pas à votre
intention
Une bénédiction surabondante, au-delà de toute
mesure.

Malachie, 3. 10

Du fond de ma détresse,
Je t'appelle au secours, Seigneur.
Écoute mon appel,
Sois attentif alors que vers toi je crie.
Si tu voulais retenir nos fautes,
Seigneur, qui pourrait survivre ?
Mais tu disposes du pardon,
Voilà pourquoi tu dois être respecté.

De toute mon âme, je compte sur toi Seigneur,
Et j'attends ce que tu vas me dire.
Oui, je compte sur le Seigneur
Plus qu'une sentinelle n'attend le matin ;
Bien plus qu'un soldat n'attend la montée du matin.

Psaumes, 130 (De Profundis)

Où pourrais-je me cacher loin de toi ?
Où me réfugier loin de ta présence ?
Si je monte au ciel, tu y es ;
Si je me couche dans le séjour des morts, t'y voilà.
Si je m'élance jusqu'au soleil levant,
Si je vais m'installer au soleil couchant,
Même là ta présence me conduit,
Ta main droite ne me lâche pas.
Si je décide : « Que les ténèbres me submergent,
Qu'autour de moi la nuit s'épaississe ! »
Toi, tu transformes l'obscurité en lumière,
Et tu changes la nuit en jour lumineux ;
Ténèbres ou lumière, pour toi point de différence.
Tu as créé ma conscience,
Tu m'as tissé dans la matrice de ma mère.
Ô Dieu ! Merci d'avoir fait de mon être une merveille.

Ce que tu engendres est magnifique ;
Je suis bouleversé de reconnaissance.

Psaumes, 139. 7-12

Aucune tentation ne vous est survenue qui ne dépasse votre mesure et votre force humaine. Dieu est bienveillant ; il ne permet pas que vous soyez éprouvés au-delà de vos résistances. Mais en même temps que la tentation, il vous donne le moyen d'en sortir et la force de la surmonter.

1 Corinthiens, 10. 13

La foi, c'est l'assurance des choses qu'on espère, la preuve des réalités de celles qu'on ne voit pas.

Hébreux, 11. 1

En vérité, ce qui rend l'homme intelligent,
C'est l'inspiration que Dieu accorde par son Esprit.
Être sage, reconnaître ce qui est juste
N'est pas l'apanage exclusif des personnes âgées.

Job, 32. 8-9

LISTE DES VERSETS CITÉS
(hors citations du livre des Proverbes)